# O Homem e a Terra

Coleção Estudos
Dirigida por J. Guinsburg

Equipe de realização – Edição de Texto: Marcio Honorio de Godoy; Revisão: Patrícia Murari; Sobrecapa: Sergio Kon; Produção: Ricardo W. Neves, Luiz Henrique Soares e Sergio Kon.

**Eric Dardel**

# O HOMEM E A TERRA

## NATUREZA DA REALIDADE GEOGRÁFICA

TRADUÇÃO: Werther Holzer

Título do original francês:
*L'homme et la Terre: nature de la réalité géographique*



Tradução realizada a partir da Edição de 1990, da CTHS, de *L'homme et la terre: nature de La réalité géographique*, incluindo a tradução do texto "Géographie et existencie", de Jean-Marc Besse.

Compõe também este volume a reedição do texto "A Geografia Fenomenológica de Eric Dardel", de Werther Holzer, originalmente publicado em Zeny Rosendahl; Roberto Lobato Corrêa (orgs.). *Matrizes da Geografia Cultural*. Rio de Janeiro: Eduerj, 2001. p. 103-122.

CIP-Brasil. Catalogação-na-Fonte
Sindicato Nacional Dos Editores de Livros, RJ

D228h

Dardel, Eric, 1899-1967
O homem e a terra: natureza da realidade geográfica / Eric Dardel; tradução Werther Holzer. – São Paulo: Perspectiva, 2015.
(Estudos ; 292)

Tradução de: L'homme et la terre: nature de la réalité géographique
Apêndice
ISBN 978-85-273-0924-0
1. reimp. da 1. ed. de 2011

1. Geografia – Filosofia. I. Título. II. Série.

11-3837. CDD: 910.01
CDU: 910.1

27.06.11 29.06.11 027523

1ª edição – 1ª reimpressão
[PPD]



Av. Brigadeiro Luís Antônio, 3025
01401-000 São Paulo SP Brasil
Telefax: (011) 3885-8388
www.editoraperspectiva.com.br

2020

La Terre nous em apprend
plus long sur nous que tous les livres.

(Aprendemos muito mais sobre nós
com a Terra do que em todos os livros)

ANTOINE DE SAINT-EXUPÉRY,
*Terra dos Homens* (1939)

# Sumário

ANEXOS

# Prefácio à Edição Brasileira

*Eduardo Marandola Jr.*

Já faz 58 anos desde que o professor Eric Dardel publicou sua "pequena" obra *O Homem e a Terra: Natureza da Realidade Geográfica*. A comunidade brasileira aguardou por muito tempo esta tradução, que chega para reforçar a biblioteca fenomenológica e humanista dos geógrafos.

*O Homem e a Terra* é um típico caso de obra que estava muito à frente de seu tempo, o que resultou numa longa espera para que seus frutos pudessem aparecer. Esquecido durante décadas, mesmo na França, onde foi escrito e publicado (é visto como uma obra fora do contexto universitário geográfico da época, que por isso não produziu frutos imediatos), o livro, apesar de ter sido importante no início do projeto humanista da Geografia estadunidense nos anos de 1960 (há referências explícitas e implícitas nos trabalhos iniciais dos pioneiros Yi-Fu Tuan, Anne Buttimer e Edward Relph, pelo menos), teve sua difusão mais contundente com a publicação da tradução italiana em 1986. A edição foi acompanhada de uma dezena de artigos escritos por iminentes geógrafos, o que ajudou a impulsionar a própria publicação de uma nova edição francesa em 1990, cujo formato foi tomado como base para a presente tradução. O texto introdutório de

Jean-Marc Besse e a biografia escrita por Philippe Pinchemel fazem sua parte em contextualizar a importância do pensamento de Dardel para uma geografia fenomenológica voltada para os problemas da existência, além de sua contribuição para a própria história da ciência geográfica.

Esta edição brasileira surge 20 anos após a segunda edição francesa e quase 60 anos depois da primeira publicação. Qual a pertinência e a expectativa de sua inserção no pensamento geográfico contemporâneo? O que aconteceu na Geografia nestes quase 60 anos?

A obra de Dardel tem sido lida no Brasil no contexto dos estudos humanistas, especialmente por conta de seu conceito fundamental, *geograficidade*, o qual expressa a própria essência geográfica do ser-e-estar-no-mundo. Enquanto base da existência, a associação entre geograficidade, lugar e paisagem tem sido fértil, permitindo uma compreensão fenomenológica da experiência geográfica. De certa forma, esta obra já deitou raízes nos estudos orientados pelo humanismo e pela fenomenologia no Brasil, como o próprio texto de Werther Holzer, também publicado neste volume, atesta.

No entanto, a densidade da obra, que contrasta com sua dimensão modesta, ainda está longe de ter sido discutida de forma mais ampla. Ela continua uma grande desconhecida para o conjunto dos geógrafos, especialmente sua segunda parte, que trata da história da Geografia. Esta, aliás, seria em si uma ótima razão para realizar esta tradução, já que a quantidade de livros que abordam o tema no Brasil não é grande, além de apresentarem predominantemente um viés historicista ou institucionalista. Dardel aborda a história da Geografia por uma perspectiva fenomenológica, o que é uma contribuição extremamente original e pertinente ainda hoje, enriquecendo assim a bibliografia dos cursos de Epistemologia e História da Geografia. Nada mais natural, já que havia publicado, em 1946, *L'histoire, science du concret* (A História, Ciência do Concreto), onde defendia a concretude da experiência enquanto fundamento da consciência histórica.

Outro diferencial para o público brasileiro são as várias citações que Dardel faz da obra de Josué de Castro, *Geografia da Fome*, mencionada mais de uma vez no segundo capítulo, especialmente quando Dardel busca exemplificar as novas abordagens e formas de compreensão da geografia da época.

Mas não é apenas entre os geógrafos que esta obra despertará interesse. Ainda desconhecida em campos nitidamente próximos, como a arquitetura e urbanismo, a história, a filosofia, a história da arte, a psicologia, entre outras, esta é uma leitura obrigatória para todos aqueles que se preocupam com a dimensão espacial da existência. Não é demais lembrar que este livro foi pensado e publicado para compor a Nouvelle Encyclopédie Philosophique (Nova Enciclopédia Filosófica), coleção dirigida pelo filósofo Émile Bréhier, o que faz dele uma obra de reflexão filosófica voltada para a área interdisciplinar dos campos do conhecimento preocupados com a existência, o espaço e a relação Homem-Terra (sociedade-natureza), incluindo-se aí a preocupação contemporânea com o ambiente.

Em termos do conhecimento geográfico, os últimos anos têm sido marcados pela consolidação de uma ciência mais plural em suas orientações teórico-metodológicas, o que também tem sido observado no Brasil. Isso tem ajudado a ainda tímida abordagem fenomenológica a se difundir, especialmente nos últimos 10 anos. Parte dessa limitação, não há dúvida, se dá pela carência de bibliografia densa que explore essa fronteira do pensamento geográfico. Lacuna essa que o livro de Dardel começa a preencher.

Além desses fatores, que já atestam a pertinência desta tradução, ainda tem mais. O que o leitor possui em mãos é o mais bem acabado ensaio para uma geografia fenomenológica. O pioneirismo quase visionário de Dardel ainda não foi superado em uma tão bem composta reflexão da natureza da relação da Geografia com a Fenomenologia, fundando, em última análise, uma outra forma de se entender a ciência geográfica. Esta é uma Geografia pensada de forma essencial, que busca sua compreensão não pelo caminho da ciência clássica, mas por uma ciência compreensiva e filosófica, que desvia da geo*metria* em busca da geo*grafia*. Essa grafia é a própria existência humana em sua relação orgânica com a Terra.

Porém Dardel não faz disso uma ideia trivial. Navega pelos filósofos fenomenologistas e existencialistas para edificar um pensamento claro e profundo, em diálogo com os pensadores de sua época, produzindo uma reflexão de alto nível sobre a ontologia da ciência geográfica, o que não deixa de ser mais um ponto em favor de sua atualidade e pertinência no contexto atual.

E não poderia chegar em melhor momento. Nas duas últimas décadas o interesse pela reflexão espacial na filosofia tem crescido grandemente, junto com a preocupação epistemológica e (embora mais tímida) ontológica. Aumenta o número de filósofos preocupados com o chamado "problema do espaço", e a maior parte destes está ligada à tradição fenomenológica. Autores como Martin Heidegger e Gaston Bachelard têm sido evocados como fundamentais para uma filosofia do espaço, contribuindo para aumentar o interesse da filosofia pela própria geografia. Dardel bebeu tanto de um quanto de outro, além de outros filósofos fenomenologistas, tornando seu livro extremamente atual para essa discussão, bem como as questões sobre lugar, paisagem e a própria existência, temas tão centrais no mundo contemporâneo, época de novos processos de territorialização, de crise ambiental e da oposição globalismo *versus* localismo.

Os dois textos incluídos neste volume refletem sobre as reverberações e os caminhos abertos por Dardel e sua obra. Tanto Jean-Marc Besse quanto Werther Holzer destacam o papel reformulador e inovador de *O Homem e a Terra* para pensar uma geografia fenomenológica, pautada na dimensão existencial da geograficidade. Eles ajudam a dar brilho e a contextualizar a contribuição inovadora do livro para a geografia contemporânea.

Por esses e tantos outros motivos, entendo que a tradução brasileira de *O Homem e a Terra: Natureza da Realidade Geográfica* é um presente para nossas bibliotecas, vindo enriquecer e movimentar um conjunto de discussões que tem carecido de um olhar humanista que coloque o homem como motivação e parâmetro para a ciência. Não uma ciência antropocêntrica. Uma ciência humanista em seu sentido amplo: fazendo crescer e prosperar tudo que é próprio do ser humano. E se Homem e Terra são uma coisa só, como pensa Dardel, então não há nada mais humanista do que pensar nas relações essenciais que nos ligam a tudo que nos cerca. No cerne dessa relação está a geograficidade, o que coloca a geografia no centro do debate contemporâneo sobre o homem, o espaço e o ambiente.

# 1. O Espaço Geográfico

O desenvolvimento da ciência geográfica no século XIX é uma das manifestações características do espírito moderno no Ocidente. Depois da Idade Média e de sua inquietude metafísica, ao final do humanismo atento aos problemas psicológicos, morais e políticos do Homem, o mundo ocidental voltou-se para a Terra, o Espaço e a Matéria. Sua vontade de poder, impaciente em se instalar nas dimensões do mundo exterior, se apodera do universo pela medição, o cálculo e a análise. Sob esse aspecto, a ciência geográfica faz parte, com a cosmografia, a geologia, a botânica, a zoologia, a hidrografia ou a etnografia, dessa Geografia universal preocupada em compreender o mundo *geograficamente*, em sua extensão e suas "regiões", como fonte de forças e horizonte da vida humana.

Mas antes do geógrafo e de sua preocupação com uma ciência exata, a história mostra uma geografia em ato, uma vontade intrépida de correr o mundo, de franquear os mares, de explorar os continentes. Conhecer o desconhecido, atingir o inacessível, a inquietude geográfica precede e sustenta a ciência objetiva. Amor ao solo natal ou busca por novos ambientes, uma relação concreta liga o homem à Terra, uma *geograficidade* (*géographicité*) do homem como modo de sua existência e de seu destino.

É dessa primeira surpresa do homem frente à Terra e à intenção inicial da reflexão geográfica sobre essa "descoberta" que se trata aqui, questionando a geografia na perspectiva do próprio geógrafo ou, mais simplesmente, do homem interessado no mundo circundante.

## ESPAÇO GEOMÉTRICO, ESPAÇOS GEOGRÁFICOS

O espaço geométrico é homogêneo, uniforme, neutro. Planície ou montanha, oceano ou selva equatorial, o espaço geográfico é feito de espaços diferenciados. O relevo, o céu, a flora, a mão do homem dá a cada lugar uma singularidade em seu aspecto. O espaço geográfico é único; ele tem *nome próprio*: Paris, Champagne, Saara, Mediterrâneo.

A geometria opera sobre um espaço abstrato, vazio de todo conteúdo, disponível para todas as combinações. O espaço geográfico tem um horizonte, uma modelagem, cor, densidade. Ele é sólido, líquido ou aéreo, largo ou estreito: ele limita e resiste.

A geografia é, segundo a etimologia, a "descrição" da Terra; mais rigorosamente, o termo grego sugere que a Terra é um *texto* a decifrar, que o desenho da costa, os recortes da montanha, as sinuosidades dos rios, formam os signos desse texto. O conhecimento geográfico tem por objeto esclarecer esses signos, isso que a Terra revela ao homem sobre sua condição humana e seu destino. Não se trata, inicialmente, de um atlas aberto diante de seus olhos, é um apelo que vem do solo, da onda, da floresta, uma oportunidade ou uma recusa, um poder, uma presença. "Em toda parte", escreveu Vidal de La Blache a respeito da floresta do Vosges,

> seja onde ela domina efetivamente, seja onde os desmatamentos a fragmentaram, a floresta continua presente. Ela povoa a imaginação e a visão. É a vestimenta natural da região. Sob o manto sombreado, matizado pela clara folhagem das heras, as ondulações das montanhas são envolvidas e como que amortecidas. A impressão de altura se subordina àquela da floresta.

Presença, presença insistente, quase inoportuna, sob o jogo alternado das sombras e da luz, a linguagem do geógrafo sem esforço transforma-se na do poeta. Linguagem direta, transparente, que "fala" sem dificuldade à imaginação, bem melhor, sem dúvida, que o discurso "objetivo" do erudito, porque ela transcreve fielmente o "texto" traçado sobre o solo.

O rigor da ciência não perde nada ao confiar sua mensagem a um observador que sabe admirar, selecionar a imagem justa, luminosa, cambiante. Ele somente dá ao termo concreto seu amparo e sua medida. Testemunha, sob a mesma pena, essa evocação da costa bretã, onde a alegria da vida reage ao pulular de seres:

> Essa costa, alternadamente selvagem e doce, onde as praias sucedem às rochas, as enseadas arenosas aos costões rochosos, é hospitaleira à vida. Melhores que as falésias normandas, onde se chocam incessantemente os seixos, essas costas recortadas oferecem à vida vegetal e animal o abrigo que a natureza geradora exige. Há entre essas anfractuosidades dobras suaves, os fundos de areia onde o peixe pode se reproduzir, os canais rochosos onde se abriga a lagosta. As algas, sob a vaga, escorrendo em lâminas de prata sob os platôs de rochas. Elas revestem com tapetes escorregadios os blocos e os seixos, ou recobrem à flor d'água os refúgios sob os quais pulula a vida de peixes e moluscos.

A explicação se desloca discreta, sob o pitoresco das imagens, tanto mais surpreendente que, pela graça do estilo, o leitor compreende mais claramente esse texto sobre o litoral.

Dessa interpretação feita por um geógrafo, temos acesso quase sem transição para o mundo do romancista em que a feição da Terra se anima com as vibrações coloridas do momento. Ao aproximar-se a noite, o silêncio desce sobre essa baía islandesa:

> A noite foi chegando, o mar brilhou como seda, velado ao sudoeste por nuvens de vapor. Um sol frio estava suspenso sobre a grande aldeia semicircundada por áridos montes vulcânicos, que se abrem para a baía de Faxa. Entre as fazendas esparsas, grandes brejos acastanhados pouco acessíveis, semeados por pequenas eminências arenosas. Aqui, acolá, um lago solitário, negro de silêncio, e quase sufocado pelas taboas. Bétulas anãs formam uma borda nas

colinas onde, nos tufos de fragrantes e macias Érica Bravas, o pluvier dourado* vêm construir seu ninho[1].

A escrita, tornando-se mais literária, perde clareza, mas ganha em intensidade expressiva, devido ao estremecimento da existência que é dada pela dimensão temporal restaurada.

É a estação que vem temporalizar o espetáculo da Terra no país de *Marie Chapdelaine*, onde o mês de julho espalha todas as nuances das centáureas:

> Nas queimadas, no flanco dos montes pedregosos, sobretudo onde as árvores, muito raras, deixam passar o Sol, o solo estava quase que uniformemente rosa, o rosa brilhante das flores que cobriam as moitas de árvores de charme**; as primeiras centáureas, também rosas, se confundindo com as flores; mas, sob o calor persistente, elas assumem lentamente uma coloração azul pálida, depois azul real, enfim azul violeta, e, quando julho anuncia a festa de Santa Ana, seus galhos cobertos de frutas formam grandes manchas azuis no meio da rosa das árvores de charme que começam a morrer.

Alcançamos uma fronteira que a ciência do laboratório nos proibirá de atravessar, mas que ultrapassaremos, em direção a um mundo irreal onde uma geografia permanece subjacente. No momento em que lança o seu fulgor fugidio e cativante, quando a magia das palavras e das imagens traça este quadro noturno do mar dos trópicos:

> Ele se propaga sob um céu sem lua[2], negro com uma borda branca. Porém nossos pés, ao tocá-lo, levantava fagulhas: a água estava cheia de poeira fosforescente, e um ardor que não se sente penetrar, mas só um leve toque... no entanto esta água tão densa, tão carregada de partículas viventes, está, de dia, totalmente límpida. Vimos o leito canelado do mar, e sobre o fundo as rugosidades da superfície desenham uma rede de losangos moventes iridescentes, como um filete de luz nas largas malhas que o carregam.

* *Pluvialis apricaria* (N. da T.).

1 K. Gudmunsson, *Rive Bleue*.

** *Carpinus caroliniana* (N. da T.).

2 H. Fauconnier, *Malaisie*.

Visão direta, concreta, em que a geografia envolve e penetra os sentidos de doçura e de luz.

Continuando nossa exploração das expressões geográficas, chegamos, pelos caminhos da imaginação, a uma geografia de sonhos. No *Fantasia da Manhã*, o mundo circundante convida o poeta Hölderlin a se dissolver na inconsciência dos elementos: "No poente brota uma primavera; vejo florescer um sem número de rosas, e o mundo repousa em seus reflexos de ouro. Oh! Levai-me, nuvens de púrpura! Somente se meu amor e minha dor puderem *se dissolver no ar e na luz*!". Todo o vocabulário da Terra, o líquido, o rochoso, o luminoso, o aéreo, comunicando-se com o movimento e os sons, penetra na geografia deslumbrante de Shelley:

> De agora em diante, disse o Oceano, os campos do mar, espelhos do céu..., se elevarão... sob os ventos que os agitam, como as planícies de trigo que agitam o hálito do verão; minhas correntes circularão em torno dos continentes plenos de povos, em torno de ilhas afortunadas; e de seu trono de cristal, o Proteu azul e suas ninfas marinhas observarão as sombras de belos navios.

Geografia de glória em que os símbolos operam uma transmutação das substâncias, em que as ondas marinhas se desmaterializam em ritmos sonoros: "Minha alma, disse *Ásia*, é um navio encantado que, tal qual um cisne adormecido, flutua sobre as ondas argentinas de seu canto harmonioso; e a toma, perto do leme, como um anjo que dirige a nave, enquanto todos os ventos ressoam a melodia".

Na fronteira entre mundo material, onde se insere a atividade humana, e o mundo imaginário, abrindo seu conteúdo simbólico à liberdade do espírito, nós reencontramos aqui uma geografia interior, primitiva, em que a espacialidade original e a mobilidade profunda do homem designam as direções, traçam os caminhos para um outro mundo; a leveza se liberta dos pensadores para se elevar aos cumes. A geografia não implica somente no reconhecimento da realidade em sua materialidade, ela se conquista como técnica de *irrealização*, sobre a própria realidade. Poética, em *Prometeu Acorrentado* de Shelley, se torna profética em Novalis:

O hostil e frio vento* soprou do norte sobre os campos congelados; a pátria maravilhosa se petrificou, em seguida se evaporou no éter, os espaços se povoaram de universos espumantes. A alma do mundo e todo seu cortejo de forças se refugiou no santuário mais secreto, na região superior do coração, para reinar até o esplendor da aurora nascente do novo dia.

Se a geografia oferece à imaginação e à sensibilidade, até em seus voos mais livres, o socorro de suas evocações terrestres, carregadas de valores terrestres (*terriennes*), marinhos ou atmosféricos, também, sempre espontaneamente, a experiência geográfica, tão profunda e tão simples, convida o homem a dar à realidade geográfica um tipo de animação e de fisionomia em que ele revê sua experiência humana, interior ou social. É naturalmente que falamos de rios *majestosos* ou *caprichosos*, de torrentes *fogosas*, de planícies *risonhas*, de relevo *tormentoso*. Mesmo desgastado pelo uso, o vocabulário afetivo afirma que a Terra é apelo ou confidência, que a experiência do rio, da montanha ou da planície é *qualificadora*, que a apreensão intelectual e científica não pode extinguir o valor que se encontra sob a noção. Medo, admiração, simpatia, participamos ainda, por mais modernos que sejamos, por um acordo ou desacordo fundamental, do ritmo do mundo circundante. Entre o Homem e a Terra permanece e continua uma espécie de cumplicidade no ser[3]. Max Scheler nos lembra, algumas pessoas vivem em um "estado de fusão afetiva vital" com o mundo que nós chamamos de "exterior": os hindus, por exemplo. Francisco de Assis se sentia unido por um parentesco espiritual com o vento, com a água, com os pássaros, com as flores, com as abelhas.

A obra do especialista não rejeita inteiramente esse encontro inesquecível do homem com a Terra, essa participação geográfica no espaço concreto. Quem falará sobre a imaginação ou o maravilhamento de onde nasceu a vocação de tal geógrafo? Não foi, com efeito, um geógrafo muito ligado ao método científico, Emmanuel de Martonne, que anunciou que a geografia

* *Bise*, no original, vento do norte frio e seco (N. da T.).

3 Recentemente C. Konczewski nos recordava que "nossos dinamismos se refletem em nós mesmos... o mundo exterior implica, por assim dizer, nas fibras de nossa sensibilidade". *La Sympathie comme fonction de progrès et de connaissance*, p. 130.

responde à necessidade de "fixar a memória dos lugares que nos cercam"? Fixar o movimento, esquivo, apresentar à inteligência o que a ultrapassa e a induz, tudo ao mesmo tempo! Reconhecemos sem dor que a "lembrança" excede, assim, a simples preocupação científica de anotar as medidas de temperatura e de salinidade. O geógrafo que mede e calcula vem atrás: à sua frente, há um homem a quem se descobre a "face da Terra"; há o navegante vigiando as novas terras, o explorador na mata, o pioneiro, o imigrante, ou simplesmente o homem tomado por um movimento insólito da Terra, tempestade, erupção, enchente. Há uma visão primitiva da Terra que o saber, em seguida, vem ajustar.

## ESPAÇO MATERIAL

O espaço geográfico é, por excelência, o oceano, esse oceano diante do qual, escreve Alain, "nossas ideias se separam da coisa e permanecem nas nossas mãos como instrumentos"; essa imensidão que desafia nossas medidas e nossas limitações. Ora esse "infinito" é *matéria*. Sob a luz ardente do equador, o oceano é feito de uma substância estranha. Suas águas superficiais "com a densidade do óleo", Pierre Loti as viu como um azul "tão intenso que se pode dizer [...] tingidas de índigo". Sua extensão palpitava de uma poeira que se confundia com a matéria do próprio espaço. "À nossa volta", prossegue o observador, "havia argonautas que navegavam distraidamente com todas as velas desfraldadas, havia sobretudo uma profusão de medusas flutuantes, que esticavam cada uma, não sei por que sopros imperceptíveis, uma pequena vela transparente nuançada de carmim: a superfície do deserto azul, como que juncada de flores de cristal rosa". A navegação *distraída* dos argonautas, os sopros *imperceptíveis*, que são percebidos através das velas em miniatura, essa lenta progressão rosa sobre o azul profundo e imóvel das águas. É dessa matéria viva e móvel que é feita a superfície do mar, surpresa para um grande colorista.

Por toda parte o espaço geográfico é talhado na matéria ou diluído em uma substância móvel ou invisível. Ele é a falésia, a escarpa da montanha; ele é a areia da duna ou a grama da savana, o céu morno e enfumaçado das grandes cidades industriais, a grande ondulação oceânica. Aérea, a matéria permanece ainda matéria. O espaço "puro" do geógrafo não é o espaço abstrato do geômetra: é o azul do céu, fronteira entre o visível e o invisível; é o vazio do deserto, espaço para a morte; é o espaço glacial da banquisa, o espaço tórrido do Turquestão, o espaço lúgubre da landa sob a tempestade. Há ainda algo aqui, uma extensão a atravessar ou a evitar, a areia que fustiga, as fornalhas naturais, o vento que uiva. Uma resistência ou um ataque da Terra. Mesmo o silêncio ou a desolação, é também uma realidade do espaço geográfico, uma realidade que oprime, uma realidade que exclui.

Esse espaço material não é, de forma alguma, uma "coisa" indiferente, fechado sobre ele mesmo, de que se dispõe ou que se pode descartar. É sempre uma matéria que acolhe ou ameaça a liberdade humana. Uma região montanhosa não é, antes de tudo, uma região que obstrui a circulação dos homens? A planície só é "vasta", a montanha só é "alta", a partir da escala humana, à medida de seus desígnios. A floresta é experimentada como "espessa", a Amazônia sentida como "quente", antes que essas qualidades sejam conceituadas em noções aprendidas. A despeito dessa referência a um projeto ou a uma experiência vivida, esses conceitos de amplidão, de altura, de espessura ou de calor não têm sentido. Antropocentrismo, dirão! Mas é necessário tomar partido: fora de uma presença humana atual ou imaginada, não há nem mesmo a geografia física, somente uma ciência vã. O antropocentrismo não é uma imperfeição, mas uma exigência inelutável.

Porém, se a realidade só é geográfica *para o homem*, o que significa este "para"? Naturalmente, "para o homem" pode tomar frequentemente este valor claro de *utensílio* e significar "de interesse" ou "para o uso do" homem. Inclui-se, nesse caso, a Terra como campo de cultivo ou material de construção, o rio para a navegação, o céu para a aviação. A geografia pode ser "econômica"; mesmo o estudo do relevo ou do clima contém a preocupação subjacente do uso e da produção.

Habitável, cultivável, navegável, essas aptidões não esgotam o sentido deste "para o homem", que exprime simples e genericamente o ponto de vista do homem. Uma cadeia de montanhas ou um deserto podem ser considerados como fronteiras além de qualquer outra consideração propriamente utilitarista. Tal região do globo se apresentará como indiana ou britânica. Os Alpes ou os fiordes noruegueses se prestam à apreciação estética. Mas se trata, em qualquer caso, de uma realidade percebida a partir dos desígnios do homem: a fronteira só se opõe, como fronteira, de uma liberdade humana que a afronta ou que se sente protegida, que a franqueia ou a respeita. Um território só é britânico para os britânicos conscientes de sua diferença ou de sua superioridade, ou ainda para os estrangeiros que a veem como terra estrangeira. O pitoresco de certas regiões só se concebe em um mundo onde a beleza natural está incluída como um atrativo ou uma distração.

É importante não se acreditar no erro de que a espacialização geográfica se produz somente em virtude de um comportamento ativo. É o caso onde o homem *é agenciado* pelo ambiente geográfico: ele sofre a influência do clima, do relevo, do meio vegetal. Ele é montanhês na montanha, nômade na estepe, terrestre ou marinho. A natureza geográfica o lança sobre si mesmo, dá forma a seus hábitos, suas ideias, às vezes a seus aspectos somáticos. Ocorre que a floresta "esmaga" o homem, que a floresta virgem o "asfixia", que a landa o inclina à melancolia. Ocasionalmente o homem encontra essa passividade. Povo das florestas, os hindus suprimiram toda a distância entre o ser interior e a natureza porque o homem vive em comunhão com a vida universal que se manifesta no clima, na vegetação e nos animais. Além desse caso extremo, uma experiência corriqueira nos incita, sem qualquer intenção literária, mas naturalmente, a declarar "grandioso" ou "selvagem", "acolhedor" ou "hostil" tal aspecto da Terra que nos atinge. *Tierra Dramática, Tierra Apacible!* Foi com essa fórmula que o espanhol Ortega y Gasset resumiu suas impressões após atravessar a Espanha e a França[4].

Que o espaço geográfico aparece essencialmente qualificado por uma situação concreta que afeta o homem, isso é o que prova a espacialização cotidiana que o espacializa como afastamento e direção. A distância geográfica não provém de uma medida objetiva, auxiliada por unidades de comprimento

4 *El Espectador*, t. II, p. 87.

previamente determinadas. Ao contrário, o êxito de medir exatamente resulta dessa preocupação primordial que leva o homem a se colocar ao alcance das coisas que o cercam. A distância é experimentada não como uma quantidade, mas como uma qualidade expressa em termos de *perto* ou *longe*. O que está perto é o que pode se dispor sem esforço, o que está longe exige um esforço e, implicitamente, um desejo de se aproximar. O afastamento de um lugar, de uma vila da montanha, é sentido como uma caminhada penosa ou fácil: ela está a três horas de caminhada. O afastamento não depende diretamente da distância efetiva; tal localidade situada a três quilômetros é, de fato, mais afastada, num pendente elevado na montanha, que outra situada a cinco quilômetros, mas no vale. Marselha estava, no tempo das diligências, a oito etapas de Paris. O caminho de ferro permitiu, no início do século, que a distância fosse vencida na metade de um dia. O avião permitia que se viajasse de Paris a Nova York, em 1950, no mesmo intervalo de tempo utilizado para ir de Paris a Brest em 1900. O afastamento real, o que é geograficamente válido, depende dos obstáculos a serem vencidos, do grau de facilidade que um homem coloca um lugar ao seu alcance. Nos ocorre mesmo de sermos obrigados a tomar distância, a recuar, para colocar um cimo montanhoso ao alcance da nossa vista ou para fazer uma fotografia aérea.

A liberdade humana se afirma ao suprimir ou reduzir as distâncias. A civilização ocidental fez dessa luta contra as distâncias, compreendida como uma economia de esforço e de tempo, uma de suas preocupações dominantes. A navegação a vapor "aproximou" geograficamente a América da Europa, e a aviação comercial pôs ao alcance de Nova York ou de Londres todas as terras habitadas. Esse "encurtamento" do mundo perturbou todos os dados políticos e econômicos, criando uma interdependência planetária, ainda mais acentuada pelo telefone e pelo rádio. A intervenção dos Estados Unidos nas duas recentes guerras mundiais pressupõe um mundo reduzido pela tecnologia dos transportes. Certas paisagens terrestres, as plantações de seringueira na Malásia, ou as explorações petrolíferas no Texas, nasceram da luta contra as distâncias. A vida material de nossas populações europeias está sujeita a uma colheita ruim de trigo na Argentina ou no Canadá, a um bloqueio das rotas marítimas da lã, do algodão ou da celulose. Inútil aqui relembrar essa interdependência dos povos, ou essa "instantaneidade" das comunicações em que se afirma o poderio do mundo moderno sobre o espaço. Essa necessidade de percorrer as distâncias suscitou a preocupação por medidas precisas, substituindo as antigas medidas empíricas.

As direções foram então fixadas, elas também, por necessidades práticas. Ao mesmo tempo em que procura tornar as coisas próximas, o homem necessita de, por sua vez, *se dirigir*, para se reconhecer no mundo circundante, para *se encontrar*, para manter *reta* sua caminhada e para abreviar as distâncias. Um homem expatriado é um homem "desorientado"; hesitar é, em todos os sentidos, hesitar sobre a direção a tomar. Desde sua infância, nas primeiras civilizações, o homem se municia de marcadores para se orientar: a casa da família, a torre da vila natal, uma colina, as árvores. *À frente*, *atrás*, *à direita*, *à esquerda*, *dentro*, *fora*, têm um sentido concreto. Contudo não são mais suficientes quando as relações inter-humanas exigem marcadores oficiais. O levante, o poente, o meio-dia lhe são fornecidos pelas posições do sol. Assim se desenham as "regiões" do espaço terrestre que, mais tarde, a observação das estrelas ou a bússola permitirão assegurar e precisar. Repartidas por seu hábitat, tomadas como centro de interesse, essas regiões têm um sentido primeiramente do vivido e um valor afetivo. O *Morgenland* e o *Abendland*, país do sol levante, país do sol poente, têm mais do que um significado intelectual. Um certo mistério envolve o país "atrás da montanha", enquanto o país "à frente da montanha" é banhado pela claridade. Um julgamento de valor vem, durante séculos, opondo a *Baixa* Normandia ou a *Baixa* Bretanha da *Alta* Normandia ou da *Alta* Bretanha, como a região pobre da região "boa". Um halo afetivo favorável opõe na Alsácia a *Land* do *Ried*, na Bacia de Paris, a Beauce ou o vale do Loire à Gâtines, à Brennes, ou à Sologne. Para as pessoas do século XVIII, termos como *as Índias*, o *comércio das ilhas*, o *Sudão*, despertavam ressonâncias afetivas e imaginativas.

A linguagem geográfica veicula assim as surpresas, as privações, os sofrimentos ou as alegrias que se ligam às regiões.

*Norte* não é somente uma direção como outra qualquer, é uma região de nossa imaginação ou de nossas recordações, é o vento gélido e seco, o frio, o gelo, os mares hostis, os solos indigentes. *Sul* quer dizer sol, céu ardente, campos pedregosos ou *huertas* fecundadas pela água. As colorações afetivas tingem as palavras, que deveriam registrar-se sem mais, como *Champagne*, *Bocage*, *Java*, *Suíça*, *Riviera*. Dirigir-se é também seguir uma linha reta. *Reto* não significa sempre retilíneo. Porque na geografia, pelo menos, a linha reta não é em todos os casos "o caminho mais curto" de um lugar a outro. Na montanha ou em terreno pantanoso, contornar os pendentes ou os lugares profundos permite chegar mais seguro e mais rapidamente ao ponto visado. O espaço geográfico propõe ou dispõe dos caminhos a seguir: trilhas, vestígios de caravanas, estradas. Ansiedade do viajante em uma região desconhecida onde a floresta, o planalto uniforme, a montanha fragmentada, privam a visão de qualquer ponto de referência. Em boa hora, o homem em sociedade fixou os traços que evitam essas hesitações e, ao mesmo tempo e na medida que a civilização impôs os transportes mais regulares e mais importantes, quis itinerários mais diretos, rotas retas, continentais e reais, ou então marítimas e fictícias. Essa mesma preocupação de dirigir-se, que lhe fazia anteriormente contratar guias, se mantém hoje em dia a partir dos inúmeros meios de indicação de rotas disponíveis. No entanto toda essa técnica empregada nas vias de comunicação representa apenas a relação geográfica original com a Terra mais aperfeiçoada e mais precisa, em que o espaço concreto é esse para o qual tem que se reportar, pelo qual deve passar ou no qual deve implantar as referências.

Mas não é somente sobre o solo que pisa que o homem pode perder ou encontrar a sua direção, que avalia as distâncias. Nós falamos de "via fácil, rude, direta" ou "tortuosa", da "via do prazer" ou "do sacrifício", das "etapas" da vida, de "perdas" e de "erros", de "desvios", de "descaminhos", de "obstáculos" a vencer; nós às vezes nos "desorientamos", é necessário nos "remetermos ao bom caminho"; há as "más inclinações" e as "ascensões" morais. Enfim, nós sofremos o "distanciamento" de certas pessoas; nós as sentimos "próximas" ou "distantes", ou mesmo "inacessíveis". Todas essas expressões parecem responder bem a uma espacialização que saltou do espaço para o corpo, a isso que Minkowski chama de "espaço primitivo" para onde se dirigem nossos pensamentos, nossos desejos, nossa vontade. Espaço que engloba o espaço material, mas muito mais próximo, sem nenhuma dúvida, do espaço geográfico concreto que do espaço geométrico. Espaço onde se desenvolve a existência, porque ela é, em essência, extensão, porque ela procura um horizonte, direções, existências que dela se aproximam, porque a vida lhe oferece percursos a seguir, fáceis ou acidentados, seguros ou incertos. Ali onde os termos não podem mais se agarrar a uma realidade que resiste e que responde e não são mais do que cifras, é a geografia que, naturalmente, fornece seu vocabulário porque ele é concreto e qualitativo, próximo e claro. A rota às vezes impõe ao homem sua direção porque ele está propriamente "sem direção". As estradas da França, nos dias sombrios de junho de 1940, viram passar essa fila de fugitivos, a maioria indiferente sobre sua direção e demandando apenas uma coisa ao caminho: *fugir*. Nesse momento, a "geografia da circulação" foi, em seu ponto mais elevado, uma geografia afetiva, o homem só via na estrada a distância, desejada por sua desorientação, instrumento de sua salvação; assim o "êxodo" exteriorizou a emoção interior, o movimento intenso do seu eu para "outros lugares". No sentido inverso, é também verdade que a alma de um povo se exprime nos aspectos de seus caminhos. A estética do caminho tem mais valor quando ele não foi projetado, mas construído como simples meio de ligar as cidades, sem preocupação com o efeito. No entanto o caminho sublinha a geografia dos campos que ele atravessa; coloca em evidência as ondulações do solo, anima os largos horizontes da planície, clareia as sombras frondosas da floresta; sua fuga para o horizonte penetra a imaginação, lança-a no sonho da aventura. A estrada francesa, reta, sem outro ornamento que o duplo alinhamento de choupos-brancos ou de plátanos, confirmando sua retitude, a beleza sóbria, clássica, lógica que corresponde a uma época do gênio nacional. A estrada inglesa contorna e retorna e se demora entre as suas sebes volumosas e floridas, suas árvores e seus largos taludes. Uma poesia natural se liberta recordando o charme e o mistério próprio aos poetas ingleses.

Com a estrada ou o canal, tradução topográfica da mobilidade humana, o homem se exprime espacialmente como construtor de espaços.

O afastamento e a direção definem a *situação*. Esse termo evoca apenas a imobilidade e a permanência: é um sítio estável e inerte. A situação de um porto ou de uma cidade vincula-se a uma liberdade de escolha entre vinte situações possíveis, a um movimento que se detém em um lugar, que para lá se dirige ou de lá parte, que o atinge ou o ultrapassa. De fato, a história da maior parte das cidades mostra que elas se desenvolveram devido ao comércio e à troca, como Paris e Londres na Idade Média, Liverpool ou Nova York nos tempos modernos. A expressão estática da situação oculta as estradas que se cruzam, as relações que se atam, os mercados e as feiras onde todos se encontram, vindos de todas as direções. Lyon é uma confluência, mas é também um lugar de passagem para a Borgonha, a Saboia, o Maciço Central, uma etapa da rota para Paris, Genebra, Milão e Marselha. Uma cidade ativa, não é um espaço inerte, mas um espaço que se move, um espaço vivo.

Do plano da geografia, a noção de situação extravasa para os domínios mais variados da experiência do mundo. A "situação" de um homem supõe um "espaço" onde ele "se move"; um conjunto de relações e de trocas; direções e distâncias que fixam de algum modo o *lugar* de sua existência. "Perder a localização", é se ver desprovido de seu "lugar", rebaixado de sua posição "eminente", de suas "relações", se encontrar, sem direções, reduzido à impotência e à imobilidade. Novamente a geografia, sem sair do concreto, empresta seus símbolos aos movimentos interiores do homem.

## O ESPAÇO TELÚRICO

O espaço geográfico não é somente superfície. Sendo matéria, ele implica numa profundidade, numa espessura, numa *solidez* ou numa plasticidade que não são dadas pela percepção interpretada pelo intelecto, mas encontradas numa experiência primitiva: resposta da realidade geográfica a uma imaginação criativa que, por instinto, procura algo como uma substância terrestre ou que, se contradizendo, a "irrealiza"* em símbolos, em movimentos, em prolongamentos, em profundidades. A experiência telúrica coloca em jogo ao mesmo tempo, como nos mostra bem Bachelard, uma estética do sólido ou do pastoso e uma certa forma da vontade ou do sonho. A gleba que é movimentada pelo arado, os entalhes profundos do Tarn** ou do Tejo, as escarpas dos Alpes ou do Himalaia, as pedreiras ou as entradas das minas abertas pelo homem para extrair a pedra ou o metal, não agem apenas sobre nossos receptores oculares. Há uma experiência concreta e imediata onde experimentamos a intimidade material da "crosta terrestre", um enraizamento, uma espécie de *fundação* da realidade geográfica.

Temos um exemplo dessa experiência primitiva em algumas linhas de Emmanuel de Martonne, observador preciso e "objetivo" das paisagens alpestres: "os longos declives de xisto relvados, as cristas de quartzitos arruinados, as sólidas bases graníticas, as maciças muralhas calcárias e as vertentes dolomíticas calcinadas o convertem (o alpinista) facilmente em geólogo". Ainda que retomando uma reflexão científica, essa evocação denota alguma coisa que nos remete primeiramente ao telúrico. O *arruinado*, o *maciço*, o *calcinado* permanecem uma experiência concreta, até mesmo ingênua, em que a geografia se consubstancia e clama por uma espécie de geologia primitiva que é essencialmente um interesse, senão uma paixão, pelos materiais e a estrutura da Terra, antes de se tornar uma ciência objetiva. Imagens que chegam primeiro como sensações táteis ou como manifestações visuais de uma intimidade substancial, antes de se decantar em ideias ou em noções. Podemos reconhecer uma

* Este termo é devido a Sartre, como nos esclarece François Nouldelmann, em "L'Imagination": "Uma das principais contribuições de Sartre à fenomenologia da imaginação refere-se à definição da consciência imaginante (*imageante*): para que uma consciência possa imaginar, é necessário que transcenda o mundo e o coloque à distância. A possibilidade de imaginar implica uma 'irrealização' (*irréalisation*) que permite se presentificar (*présentifier*) uma coisa ou uma pessoa a título de sua ausência. Na sua intenção mesma, a consciência visa o objeto ainda que ausente, ela o 'nadifica' (*néantise*). A partir de um representante analógo (*l' analogon*), a consciência imaginante irrealiza um objeto, que transforma em imaginário. A operação vale tanto para o produtor das imagens, o que imagina o seu amigo ausente, quanto para o observador que recompõe as figuras de um quadro". Disponível em: http://expositions.bnf.fr/Sartre/arret/imagin.htm. Acesso em 7/5/2009 (N. da T.).

** Departamento montanhoso do sudoeste francês (N. da T.).

espécie de causalidade esboçada, espontânea, em que o que está abaixo e no interior, visíveis do flanco da "cluse"* ou do *cânion*, tornam-se causa da superfície.

Montanhas e falésias fazem aparecer a ossatura rochosa da Terra. Uma consistência e uma resistência do espaço telúrico. "O granito é a substância fundamental", escreveu Hegel em sua *Filosofia da Natureza*. A rocha resiste à tempestade e à erosão continental; ela é inquebrantável, inalterável, como a base mesma do mundo. "Aqui", declara Goethe, "tu repousas imediatamente sobre uma base que alcança as profundas regiões da terra [...]. Nesse momento, as forças íntimas da Terra agem sobre mim". Ele sente a rocha como uma potência que "dá a solidez" à sua alma. Essa firmeza do granito, da grês ou do calcário pode ser experimentada, em um sentido hostil e obstinado, como *dureza*. Ela tem algo de inumano a qual se choca, sem encontrar acolhimento, à vontade do homem. Em seus *Souvenirs d'un alpiniste* (Lembranças de um Alpinista), Javelle descreve sua desorientação quando, ascendendo ao vale de Anniviers, onde nenhuma vida se manifesta, acreditou "mudar de mundo": então se apresenta um universo mineral, um mundo *contra* o homem: "Nada mais recorda a vida. Dois reinos inteiros da natureza desapareceram de uma só vez: resta apenas o mundo mineral e a fria magnificência de seus fenômenos [...] tudo se desfaz sob a impressão fria de um mundo material, fatalmente liberto de todas as formas passageiras das coisas". Ocorre, assim, que o que é, num sentido completamente concreto, experimenta-se como o essencial ou o fundamental de toda a geografia, como potência telúrica de eternização, aparece também como um *não* significado da Terra para o homem, como um impenetrável mistério da natureza terrestre.

Mas o espaço telúrico não é sempre recusa. Ele se abre ao homem. Ele nos chama na forma de encantadores picos ou de atraentes subterrâneos. O relevo, a altitude, as escarpas despertam o desejo da escalada como libertação, a impaciência de vencer o obstáculo, de pisar na neve intocada, de dominar

* Corte transversal ao eixo de um anticlinal ou às direções de camadas, feito por um rio. O termo *cluse* deve ser reservado preferencialmente aos cortes feitos pelos rios nos eixos das dobras, como os observados na região do Jura (França). Antônio Teixeira Guerra, *Dicionário Geológico-Geomorfológico*, Rio de Janeiro: IBGE, 1980 (N. da T.).

a planície ou o vale com uma visão panorâmica. A montanha responde a uma geografia ascensional da alma, a uma vocação pela "elevação" e a pureza. "minha vocação", diria Hölderlin, "é de cantar aquele que é mais alto que eu". O homem demanda à montanha um simbolismo da altura moral, ao mesmo tempo que a satisfação de uma vontade de escalar e ascender. Para os hindus, as geleiras cintilantes do Himalaia sustentam o trono inacessível de Shiva. Para Hölderlin, a pureza radiosa de Deus manifesta sua glória na alta montanha: "Os cimos de prata brilham ao alto com uma calma magnificente, a neve deslumbrante se enche já do esplendor de rosas, e, mais alto ainda, acima da luz, habita o Deus puro, o Deus bem-aventurado que desfruta do folguedo dos raios. Ele vive só e silencioso, e mostra o esplendor do seu rosto". (*Heimkunft, an die Verwandten* [Regresso/Aos Parentes]). Ao maravilhamento de Hölderlin se opõe a vontade de Nietzsche, áspera e dura como um desafio: "Uma vereda que subo com insolência, uma vereda má e solitária, uma vereda de montanha criada sob o desafio dos meus passos". Nosso século multiplicou os meios de satisfazer essa necessidade agressiva de se medir o espaço telúrico, as arestas e os cimos, os pendentes nevados e as geleiras. O alpinismo não é somente um esporte levado às vezes até a temeridade. Ele é também, nessa mesma paixão, um conhecimento interior à ação, um *conhecer* pelo agir, uma apreensão da Terra como espaço telúrico, através do esforço, da conquista e do perigo. O telurismo foi, com frequência, ao longo da história, aliado do homem na afirmação de sua liberdade. A montanha protegeu a liberdade religiosa dos vales *vaudoises* e *cévenoles*; ela foi, ao redor do lago dos Quatro-Cantões, o berço da independência suíça. Mas ela se tornou também, em 1799, a tumba para a tropa de Suvorov.

As fontes revelam, no flanco do vale, o longo caminho das águas subterrâneas, as cavidades e as galerias escondidas, toda uma realidade secreta, tenebrosa, que tem o dom de estimular a curiosidade e atrair a exploração dos homens. Não é nosso propósito examinar as complacências da imaginação humana estimulada pelo espaço subterrâneo. Esse problema foi estudado sob o ponto de vista mitológico por Saintyves[5], sob o ponto de

5 *Essai sur les grottes dans les cultes mágico-religieux...*, p. 23.

vista da expressão literária por Bachelard[6]. Não é necessário relembrar a importância geográfica das cavidades subterrâneas, sendo algumas muito extensas, como a célebre Caverna do Mamute, dos Estados Unidos, que desenvolve suas galerias e salões por 350 quilômetros. Que nos seja suficiente falar que a ciência dos espeleólogos foi precedida pelo interesse de pioneiros e fãs da investigação subterrânea, que a atração exercida sobre o homem pelo telurismo age como desejo de colocar a descoberto a realidade telúrica de uma maneira direta e pura, como *dentro* e *abaixo*. Como "entranhas" do solo. Essa atração leva a efeito, tanto do ponto de vista da vontade como da imaginação, móveis humanos muito complexos: *descer*, o que corresponde no plano psíquico a uma busca pelo aprofundamento, *estar perdido*, com todos os estados emocionais resultantes, se colocar em uma *passagem estreita*, que obriga a *deslizar*, a *rastejar*, a dobrar-se às exigências do percurso, penetrar num mundo estranho, nos confins do medo e da opressão.

A Terra como realidade telúrica não é estática. Nós falamos, a propósito da superfície continental, de "movimentos" e de "ondulações" do solo, de terreno "acidentado", "tormentoso", "deslocado". É como se a feição da Terra respondesse a nossa mobilidade inquieta que espera que o mundo se anime, se mova, se dobre sobre nossos olhos[7]. Esses movimentos fazem brotar, em certa medida, a espessura e a profundidade da matéria terrestre, sua substância telúrica. A ocasião oferece frequentemente uma oportunidade de apreendermos ao vivo essa mobilidade substancial do espaço telúrico: quando o vento faz a duna "fumar", quando a torrente escava o flanco das terras, quando as vagas atacam as falésias, nos deslizamentos de lama e nos cones de dejeção. O jogo alternado do visível e do oculto, a subida à superfície das camadas profundas, o telurismo em ação se

6 *La Terre et les rêveries du repôs*, p. 183 e s.

7 Um geólogo, diante do espetáculo grandioso dos cânions do Colorado, não pode deixar de evocar "a linguagem misteriosa que têm aqui as águas e as pedras". Essa linguagem não revela somente uma "beleza do abismo", no sentido de uma abertura maravilhada para o espaço. O que o geólogo encontra aqui, e o geógrafo com ele, é um abismo temporal, é a revelação imediata, de uma imensa duração. Uma paleogeografia se entreabre, como uma vertigem no tempo, às prodigiosas acumulações de rochas e aos movimentos tectônicos enormes que um observador, mesmo profano, pode ler na escrita telúrica, nas vertentes das montanhas e nos grandes vales.

manifestando em todas as formas do vulcanismo. Telurismo virulento nos fenômenos em ação, ainda visível nos maciços extintos. Philippe Arbos, descrevendo dois *puys* da região de Dômes encontra, no "rio solidificado de lava" que sai dos cones, o movimento do material primitivo: "Pode-se acompanhar, como que apreendendo a natureza do fato, a marcha das duas correntes de lava procedentes respectivamente de cada vulcão para vê-los logo se fundirem num fluxo derramado ao longe[8]".

O espaço telúrico, como espaço fechado, profundidade e movimento, é também a floresta. Ela preenche o espaço, envolve o homem em mistério e temor: *jungle* indiana, *selva* amazônica, *taiga* siberiana. "Quem nunca esteve na *ourmany*, diz um provérbio russo, não conhece o medo". A floresta comunica ao espaço sua profundidade e seu silêncio. Obscuridade solene, sonoridade sufocada que amplifica o menor barulho, misteriosa quando a luz, peneirada, filtrada em raios, vem se lançar sobre seus sub-bosques, ela assombra a imaginação dos homens, favorece sua sensibilidade e sua meditação. Ela é responsável por algo da alma germânica, da "natureza" romântica, do folclore finlandês e escandinavo. Prisioneiro e, algumas vezes, sufocado o homem a toma em certos momentos como um refúgio ou um hábitat. Território (*Terrain*) de caça, fronteira natal, ela lhe fornece a madeira para a construção e para o aquecimento. Seu nome se liga ao dos lugares: Ardenne, Floresta Negra, Thuringer Wald.

## ESPAÇO AQUÁTICO

Não é necessário insistir longamente sobre a importância e a originalidade do domínio das águas sobre o espaço geográfico. Os mares ocupam a maior parte da superfície do globo e, mesmo no domínio continental, as águas lacustres e fluviais, as lagoas e fontes têm um papel preponderante. Lá onde não existe água, o espaço tem algo de incompleto, de anormal: o deserto, a superfície árida dos platôs calcários, sugerem naturalmente a ideia de morte. Em outro sentido, certos textos nos parecem *áridos*; porque assim denominamos uma maneira

8 *L'Auvergne*, p. 154.

absolutamente precisa de ser, muito diferente, por exemplo, do que qualificamos como *árduo*, *espinhoso*, *obscuro*. Os homens e os hábitats afluem ao longo dos vales e dos solos úmidos. As cartas demográficas mostram, de uma maneira impressionante, a concentração de habitantes ao longo da costa, na Provença, na Bretanha ou na Noruega, as casas ao nível das linhas de drenagem, por exemplo, na região parisiense. Os vales, as fontes, as lagoas são também os lugares verdejantes, "sorridentes". "O sorriso do verão brilha em suas margens", disse, do rio, Albert Samain. O domínio das águas, inseparável do espaço verde, está do lado da vida.

O espaço aquático é um espaço *líquido*. Torrente, riacho ou rio, ele corre, ele coloca em movimento o espaço. O rio é uma substância que rasteja, que "serpenteia". As águas "deslizam através do frescor dos bosques espessos, docemente agitados; elas não murmuram, elas correm penosamente[9]". No fundo dos rios límpidos, o jogo móvel das luzes e das sombras azuis, esse reino secreto "cheio de flores imóveis e estranhas" (Maeterlinck) provê uma experiência direta da espacialidade aquática. A água corrente, porque é movimento e vida, aplaina o espaço. Rimbaud evoca isso: "É um vão de verdura onde um riacho canta/ A espalhar pelas ervas farrapos de prata"*.

O registro afetivo da alegria propõe seu vocabulário para qualificar o mundo aquático. O *riso* das águas, o trinado ou a canção do riacho, sonoridades alegres da cascata, a amplidão feliz do grande rio. Apelo à alegria, vivacidade material do espaço, juventude transparente do mundo[10].

Mas o espaço aquático é também o da discrição. Algo reservado e calmo. Fala-se de bom grado do *murmúrio* das águas, do sussurro dos riachos. O canto das águas parece cheio de subentendidos, como sua claridade é cheia de claro-escuros. E o espaço líquido para, se espalha na imobilidade real do lago. Mas o vasto silêncio das águas não é da mesma natureza que o grande silêncio da floresta; sua imobilidade não tem o mesmo

9 Goethe, *Faust*, IIª Parte, trad. Jacques Porchat, Paris: Hachette, [s.d.], p.342.
* Foi utilizada a tradução de Ferreira Gullar, "Adormecido no Vale". Disponível em: http://literal.terra.com.br/ferreira_gullar/bau/adormecida_no_vale.shtml?bau. Acesso em: 20/3/2010 (N. da T.).
10 Para certos homens, a água é um elemento melancólico, triste, até mesmo fúnebre. Cf. G. Bachelard, *L'Eau et les rêves*, p. 119 e s.

valor que a fixidez da planície; é uma imobilidade retida, recolhida, um repouso logrado de uma inquietude. Marinha ou lacustre, a água mais calma responde ao sopro que a faz ondular. O "império das ondas" é revelação da profundidade e, por vezes, do chamado do abismo, como mostra a lenda das sereias: encanto enganador que vem do reino das sombras. O mar é uma força envolvente, *ambiência* em seu sentido mais apropriado; ele é um *elemento*. A tempestade revela brutalmente seu desejo de tragar. Furiosa e absurda é assim que aparece a Michelet a tempestade próxima a Gênova: "Via-se pouco, o que se via era limitado e espantoso [...] A tempestade rangia com espuma branca a ferocidade das lâminas que, sem piedade, a quebravam. Eram ruídos insanos e absurdos; ninguém poderia prevê-los; eram tons discordantes, tão agudos eram os assovios [...] que se tapava a orelha". Contra o homem, acima do homem, força hostil e superior, o mar em fúria faz às vezes pensar que uma potência sem alma surge das entranhas do mundo.

Habitualmente, o mar mostra um "humor" mais pacífico. Ele "banha" a costa, a carícia de suas vagas morrendo na praia, arrefece o clima. Chamado para o refresco e a natação. "Eu jamais pude estar próximo à água", confessa Swinburne, "sem desejar estar na água". A civilização moderna multiplicou as facilidades e as tentações dessa relação concreta com o espaço móvel do mar. Com mais frequência o espaço em movimento das águas se apresenta como um espaço portador. Ele é cruzado sobre a piroga ou no vaso de guerra; ele une os povos e os continentes. É a ele que se confia à potência marítima dos gregos, dos holandeses e dos ingleses, foi ele que recusou o império a Napoleão. A ciência moderna revelou seu extraordinário volume, suas profundidades prodigiosas, ao mesmo tempo em que a técnica abre, à imaginação e à vontade, as novas dimensões da navegação e da exploração submarinas. Aqui o espaço fluido se faz cúmplice dos desígnios do homem.

Por sua mobilidade, pelo salto soletrado da corrente ou pelo movimento ritmado das vagas, as águas exercem sobre o homem uma atração que chega à fascinação. Há uma palavra que encanta, uma substância que atrai. Palavra discreta ou turbulenta, acariciante ou ameaçadora, que dá ao rio ou ao mar uma personalidade. "A terra é muda", disse Michelet, "e o oceano é uma voz. Ele fala aos astros longínguos, responde a seus movimentos com sua língua grave e solene. Ele fala à terra, fala à costa com um acento patético, dialoga com seus ecos". O espaço oceânico é como uma voz que surge das profundezas e vem vibrar na superfície. "O rugido do abismo", disse Victor Hugo, "é o esforço que faz o mundo para falar". A batida regular das vagas, o balanço muito lento das marés, o escoamento das águas correntes temporalizam o mundo e fazem aparecer o tempo como matéria da existência, enquanto a costa, a planície ou a montanha estabilizam o mundo e o eternizam.

Mas é ao homem, antes de tudo, que se dirige a escrita movente das águas. Ele é o único ser para o qual pode ter um significado. Sem a presença do homem o mar não passa de um eterno monólogo. No mito de *Ahasvérus*, Quinet atribui ao oceano a tristeza de um grande ser solitário: "Durante muito tempo, eu empurro e acumulo minhas ondas sem chegar jamais; ouvirei sempre apenas o rinchar de minhas ondas, verei sempre apenas a minha imensidão? Ah! se jamais encontrar uma praia, um mundo além de mim?". Uma praia? Esse lugar privilegiado de um diálogo, ou melhor, esse diálogo material sem o qual o mundo líquido não passa de um "mundo absurdo", de um reconhecimento vão. Sobre a praia se detém o homem: de lá ele lança seu sonho e suas aventuras; de lá ele parte como os fenícios e os normandos em busca de novas costas; de lá levará a guerra ou o comércio para outros povos. Numerosos são os que responderam a esse apelo da amplidão, que fizeram do mar um meio de se comunicar. O mar une, e o mundo grego lhe deve a sua unidade. O mar divide: Gênova contra Veneza, Amsterdã contra Lisboa. O mar se retira, e o mar morre: Aigues-Mortes, Bruges, Brouage. O mar sobe os grandes rios e suscita portos ativos: Rouen, Nantes, Antuérpia, Hamburgo, Londres. O mar ataca os promontórios e a ilhas, destrói a casa dos homens: Saint-Denis-Chef-de-Caux, Bourg-d'Ault. Devido ao mar as praias estão em constante transformação. O espaço marinho está, sem cessar, em movimento; ele é uma potência, aquilo que a geografia científica chama de um "agente". Todo um aparato construído pelo homem, boias, balizas, sirenes, faróis, controlam essa potência, vigilância humana debruçando-se sobre uma presença em movimento que o escolho ou a bruma tornam dissimulada.

Talvez seja frente ao espaço das águas que se mostra melhor a insuficiência de uma atitude puramente intelectual, de um saber que, instrumentado pela razão, reifica complacentemente os fenômenos. Foi o que disse claramente Alain nesta anotação relativa ao mar: "Aqui estão os dados que vocês asseguram que *não o são*; não há evidentemente uma vaga atrás da outra; ao contrário, o mar não cessa de expressar que as formas são *falsas*. Vejam estas vagas a correr; elas não correm, mas cada gota d'água se eleva e se abaixa; e, de resto, não há gota d'água. Muito claramente, esta natureza fluida recusa todas as nossas ideias"[11]. Essa lição de filosofia que nos dá o mar lembra a nossa razão impaciente que os aspectos geográficos dão-se como ilusórios e que nos falta aceitá-los tal como o são, ou seja, flexibilizar o nosso entendimento. O movimento das vagas, que para a ciência é uma oscilação sem deslocamento material, age sobre nossa visão como um deslocamento real. Quem tem a razão aqui, a ciência que tende a reduzir o mundo a um mecanismo ou a experiência vivida que se apropria do mundo exterior ao nível do fenômeno? E como rejeitar, sem mais restrições, como falsas aparências essas que surgem ao nosso encontro, nesses confins do espaço úmido e do espaço aéreo onde dançam ligeiramente os reflexos, as sombras, os vapores, as brumas despertando nossa sensibilidade ao fantástico do mundo?

## ESPAÇO AÉREO

O espaço geográfico é atmosfera: elemento sutil e difuso em que se banham todos os aspectos da Terra. Invisível, e sempre presente. Permanente e, no entanto, cambiante. Imperceptível, mas arrancado pelo vento de sua insignificância. A luz nos chega através do espaço aéreo, crua ou filtrada, modificando a feição da Terra segundo a hora, segundo a estação. Os vapores matinais se retardam sobre os rios e as pradarias. O espaço diurno separa as coisas e as deixam prontas para a atividade.

11 E. C. Alain, *Propôs aux bords de la mer*, p. 9.

Ele dá aos objetos seus "corpos", ao homem o sentido de suas tarefas. Somos já inteligência desde que amanhece o dia, a nossa atenção é o apelo que ele nos lança para realizar nosso vir a ser. Mas nós também estamos de acordo com a noite, com seu poder de irrealizar* o mundo, de aprofundá-lo em volume e silêncio. A noite têm "um conteúdo positivo próprio" (Minkowsky): o mundo noturno dissolve os limites e as distâncias, aumenta a montanha e preenche a planície. Ela é repouso, paz do entardecer[12], porém também mistério e devaneio. Sombra e luz, o espaço aéreo se encerra no feérico, no mágico. No porto de Paillers, acima de Barèges, os Pirineus, nos disse Michelet, em seu *Tableau de la France*, existe "essa atmosfera mágica que, de tempos em tempos, aproxima, afasta os objetos: suas torrentes espumantes, suas pradarias de esmeralda".

O espaço aéreo vibra e ressoa. Rasgado pelo trovão, gemendo sob a tempestade, ritmado pelos sinos. O vento glacial do inverno se lança sobre a grande planície "onde, nas longas noites, o cata-vento enrouquece" (Baudelaire). Ele é o espaço do frio e significa hostilidade, sofrimento, escassez, isolamento. A indústria do homem se previne contra o inverno, contra o vento, a neve, o gelo. Variadas são as formas segundo os lugares, as adaptações se assemelham quanto aos meios: o fogo, o telhado, a lã ou as peles para se vestir, o trenó, os patins ou o esqui para se deslocar. Um ritmo de vida idêntico fez nascer a unidade da civilização nórdica. Junto aos montanheses, os longos invernos fizeram a vida encoscorar-se, impuseram meses de inatividade de onde nasceram as indústrias temporárias, relojoaria, marcenaria, brinquedos. Mas o frio não é sempre hostil ao homem: ele estimula a energia, é o ar vivificante dos cumes. Nietzsche, como mostrou Bachelard, fugia do calor úmido da planície, onde a melancolia espreita as almas fracas, e projetava sua imaginação para um mundo frio, claro, transparente, duro como sua dureza

* Ver nossa nota da p. 15 (N. da T.).

12 Doçura do espaço crepuscular:
"E em sua solidão insensível e muda
Baixando lentamente seus fogos de galho em galho
O brilho dourado do entardecer desce em um amarelo espesso
E a noite coloca seu véu de folhagens noturnas ..."
Stefan George, *Choix de poèms II*, *Paysage I*, em *Le Septiéme anneau*, trad. M. Boucher, t. II, p. 95.

moral, próxima da crueldade. Para Hölderlin, a limpidez dos espaços ilimitados, tornando-se expansão e plenitude do ser. Liberdade real do *Ether*: "Foste tu que os nutriu com suas bebidas, ó Pai! O ar vivificante salta de tua plenitude eterna e corre através de todos os vasos da vida". O frio gerou sociedades fortes e economias produtivas na Suécia, no Canadá; ele suscitou uma indústria específica em benefício do transporte de alimentos e do conforto geral. O espaço aéreo é tépido na Bretanha, na Irlanda; ele é tórrido nas terras queimadas pelo sol. Essa geografia atmosférica transmite bem imagens expressivas da linguagem moral: "frieza" de um olhar, "ardor" ou "calor" de um discurso, acolhida "calorosa" ou "glacial" etc.

Eis aí uma relação que ultrapassa a avaliação quantitativa das temperaturas e onde a noção de exterior, no sentido de uma realidade "exterior ao homem", ou seja, alheia ao seu destino, se opõe àquela do "interior", compreendido como realidade familiar acolhedora. É o que coloca em evidência Minkowski, em uma página que precisa ser citada inteira. Visão de um mundo terrestre imóvel e glacial:

> Luz da lua, céu estrelado, cimos nevados de uma cadeia de montanhas; no vale os pinheiros que escalam as montanhas, uma vila que dorme. O silêncio, em toda volta. O silêncio da noite, mas surge o clarão da lua, as estrelas brilham no firmamento, a neve, das alturas, se espalha na brancura lunar. Ela não brilha: espetáculo majestoso, porém frio, congelado e um tanto descorado. Nenhuma brisa sopra. O tempo passa, ele continua, sempre o mesmo [...] O homem contempla o espetáculo que se oferece a ele; não participa, não encontra seu lugar. Maravilhado, ele admira, mas está de fora [...] Não encontra nada em que se agarrar; não encontra nada *semelhante* a ele. Ele é um estrangeiro.

Mas basta que o sol se eleve, e esse mundo onde o homem "não encontra resposta" se torna familiar, "íntimo". Ele lança seus raios sobre a Terra como "apelo alegre à vida". Predispõe o homem para a Terra, onde ele encontra "tudo a que [...] aspira". O sol, com seu calor, seu apelo à vida, "nos libera da imensidão angustiante do espaço; ele o restringe, o condensa, nos torna acessível" e nos abre à "doçura de viver". Assim a geografia autoriza uma fenomenologia do espaço. Nesse sentido, podemos dizer que o espaço concreto da geografia nos libera do espaço, do espaço infinito, desumano do geômetra ou do astrônomo. Ele nos coloca no espaço em nossa dimensão, em um espaço que se dá e que responde, espaço generoso e vivo aberto diante de nós.

O espaço aéreo é um espaço sustentador onde correm as nuvens, de onde cai a chuva. Há muito tempo o homem tem o sonho de voar. Foi somente no século XX que ele pôde abrir novos caminhos. A aviação criou um quadro sem precedentes de distâncias e de direções, um ritmo novo de movimento, uma sensibilidade nova. O avião, disse Saint-Exupéry, "nos fez descobrir a verdadeira face da Terra". Enquanto as estradas evitam as regiões estéreis, as rochas e as areias, enquanto essa terra da qual os caminhos "se desviam dos bebedouros e dos estábulos", nós "a tínhamos acreditado como úmida e tenra", "do alto de nossas trajetórias retilíneas, descobrimos o embasamento essencial, o assentamento das rochas, da areia e do sal onde a vida às vezes, como um pouco de musgo na concavidade das ruínas, aqui e ali se arrisca a florir"[13]. É, portanto, a nossa imagem de todo o mundo terrestre que é posta em causa, nosso repertório de formas e de aspectos, nosso sentido dos limites humanos[14].

O espaço aéreo é também uma matéria que nos dá a sensação imediata de sua presença. Odor da terra recém arada, cheiro de feno, perfume das lavandas e urzes, mas também odores fétidos dos pântanos da floresta equatorial, da lama, o registro odorífero, esse "sentido das substâncias" (Jean Nogué), o que se espalha e penetra, revelando diretamente a matéria das coisas. "A chuva revela o vermelho das folhas mortas, o odor da resina e da Terra. O rumor dos córregos filtrado pelas folhagens saciadas pelas gotas. E esse odor e esse rumor me conduzem para longe; porque o cheiro da Terra molhada é sempre o mesmo"[15]. O odor, inseparável de certas regiões ou de certas estações, efetua uma espécie de fusão com o meio ambiente, qualificando com sensualidade pesada ou leve as realidades geográficas. Ele preenche o espaço e, indiretamente,

13 *Terre des Hommes*, p. 62.

14 Dessa geografia nova, a admirável coletânea de fotografias *Découverte aérienne du monde* nos fornece um documento precioso.

15 G. Lanza Del Vasto, *Pèleginage aux sources*, p. 243.

valoriza o plano visual. O espaço shelleyano é todo impregnado de aromas que o iluminam. "Minha respiração", disse a Terra, "levanta-se agora como o perfume de uma violeta entre a erva alta, e ela preenche os penhascos e os bosques do entorno com uma luz muito serena".

## ESPAÇO CONSTRUÍDO

A geografia encontra um *espaço construído*, um espaço que é obra do homem. Ela toma, às vezes, uma forma rudimentar, mas muito significativa, como nas estacas plantadas sobre os platôs uniformes do México, o *Llano estacado*, que tem a única finalidade de demarcar uma extensão indiferenciada, ou ainda o balizamento de certos mares pouco profundos. Os campos, as plantações, os terraços das montanhas chinesas ou os deltas quadriculados pelos arrozais, representam diversos modos de "construção" do espaço que exaltam a realidade geográfica. Porém, a forma mais importante do espaço construído está ligada ao hábitat do homem. A vila ou a aldeola ainda totalmente dominados por seu ambiente rural; no seu extremo oposto, a grande cidade moderna onde o homem é moldado na sua conduta, nos seus hábitos, nos seus costumes, suas ideias e seus sentimentos, por esse horizonte artificial que o viu nascer, crescer, escolher sua profissão. Entre a vila e a grande cidade, entre a pequena cidade provincial adormecida e a vasta cidade industrial atarefada, não há mais que uma diferença de grau, de nome ou de extensão. Trata-se de espaços que, para o homem, diferem em qualidade e significado. A vila encontra seu sentido no trabalho nos campos, que impõe ao homem seu ritmo lento e seguro. A pequena cidade compreende-se como um centro de relações para um grupo de vilas, centro de comércio local e de feiras. A grande cidade é uma intervenção do homem sobre a Terra, um desenvolvimento circundando um ponto, um porto, um cruzamento, uma exploração mineral ou manufatureira. Ela supõe trocas a grandes distâncias, recursos locais ou facilidade de acesso. Em contrapartida, ela é por si só um certo horizonte geográfico. Às vezes arejado e opulento, às vezes miserável e repugnante, uma presença compacta, de onde pode nascer tanto essa polidez particular que chamamos de "urbanidade" quanto esses sobressaltos de revolta, esses motins que a história registra como reações próprias às populações urbanas. Na Idade Média, as cidades da Alemanha, dos Países-Baixos, da França do norte formavam enclaves livres e privilegiados nos quais o espírito local e exclusivista forjou um pequeno mundo à parte, orgulhoso dos símbolos que o particularizavam: campanários, bandeiras, brasões, sempre prontos a estender sua autoridade sobre os campos circundantes.

A cidade não é somente um panorama abarcado com um só golpe de vista: Paris "vista" de Montmartre, Lyon do alto de Fourvières. A cidade, como realidade geográfica, é a *rua*. A rua como centro e quadro da vida cotidiana, onde o homem é passante, habitante, artesão; elemento constitutivo e permanente, às vezes quase inconsciente, na visão de mundo e no desamparo do homem; realidade concreta, imediata, que faz do citadino "um homem da rua", um homem diante dos outros, sob o olhar de outrem, "público" no sentido original da palavra[16]. Para muitos homens, sobretudo os dos séculos passados, a rua é onde se nasce, onde se vive e onde se morre sem que se possa sair. A rua da Idade Média, ruela tortuosa, rua com escadarias, impasse, com sua fisionomia pitoresca ou sórdida, com suas corporações de ofício instaladas desde tempos imemoriais, suas tendas, seus ruídos, seus odores, o cruzamento próximo e suas vias adjacentes. A rua entregue à noite, à obscuridade e ao silêncio, é o ponto de ancoragem do homem no universo, seu espaço concreto e familiar.

Certas cidades, ao longo dos séculos, adormecem, a vida se retira, junto com a função geográfica essencial: Bruges, Pisa, Poitiers. A decrepitude, a sonolência, o tédio se instala na realidade geográfica confundindo-se com o horizonte e a atmosfera onde vivem os habitantes. Outras cidades, ao contrário, se ampliam, se desenvolvem: a expansão, a improvisação, a febre de construir e de abrir caminhos são parte integrante do espaço geográfico; essas imensas aglomerações "tentaculares", quase monstruosas, Manchester, Nova York, Chicago, Joanesburgo,

16 A rua de Bellevile, escreveu R. Garric, em *Belleville*, "se faz insidiosa, embaraçosa; ela tira da sombra e da viela mais recôndita o trabalhador seduzido; ela o constrange a vir até ela".

dão ao homem uma impressão de vertigem, de desmesura, o gigantismo deixa de ser quantidade, para se tornar uma qualidade do espaço, o incalculável, o incomensurável. O espaço construído coloca em cheque o alcance do olhar, apaga e submerge o desenho natural dos lugares.

Um dos fatos característicos do século xx é a urbanização para um número crescente de homens; a Europa conta com uma vintena de cidades que atingem ou ultrapassam um milhão de habitantes, um terço dos australianos vive em duas cidades, Sydney e Melbourne; quatro indivíduos em cinco na Inglaterra, nos Estados Unidos, e na Argentina; três em quatro, na Alemanha, são citadinos. Eis aí um fato que ultrapassa o domínio puramente demográfico da "geografia humana". Imensas populações nascem e se movem na grande cidade, um número enorme de homens é, praticamente, "de desenraizados", sem ligações duráveis com a terra ou com um horizonte natural, seres nos quais os observadores mais "objetivos" concordam em reconhecer o caráter irritadiço, volúvel, sujeito a psicoses ou a contágios afetivos.

O homem torna-se também construtor de espaços, abrindo vias de comunicação: caminhos, pistas, estradas, vias férreas, canais são maneiras de modificar o espaço, de o recriar. A rota desfaz o espaço para recriá-lo, reagrupá-lo. Esse reagrupamento denota, às vezes muito firmemente, a sua marca, quando o relevo se impõe ao técnico em terraplenagens, os viadutos, os muros de sustentação, as trincheiras. Mesmo em terreno plano, a estrada reconstrói o espaço dando-lhe um "sentido", na dupla acepção do termo: um *significado* expresso em uma *direção*. No campo que ela atravessa e que, por contraste, continua mais imóvel, mais calmo, ela age como um apelo ao movimento, como uma fuga para o horizonte e para além dele; ela amplia o horizonte e dinamiza a paisagem. Ao mesmo tempo, ela é presença humana, como passagem, real ou possível. A intenção humana se inscreve na terra: a via romana, indiferente aos acidentes naturais do terreno, corta sempre reta, segundo a exigência estratégica que a suscitou. A estrada moderna, com função comercial, segue mais docilmente pelos vales onde estão as cidades e, para aumentar a comodidade, contorna os obstáculos mais do que os ataca de frente. A via férrea, que não tem o que fazer na montanha, a evita com seus túneis, para ligar-se da forma mais curta às planícies e aos vales. O porto, primeiramente passagem (*portus*), contato entre o elemento continental e o elemento marítimo, está voltado para o longínquo, indicando um "além", uma direção invisível que aponta para outras costas. Em todos esses casos, o movimento material ou possível implica na "via" que age como uma "abertura" do espaço, fenômeno de abertura que está na base de toda a geografia das comunicações e dos transportes. Desvelando uma possibilidade oculta do espaço, mobilização de sua imobilidade, exteriorização da mobilidade fundiária do homem em sua relação existencial com a Terra.

## A PAISAGEM

"As turfeiras, as poças de água parada perdidas entre os brejos," escreveu Demangeon, evocando a planície da Ânglia Oriental, "os canais caprichosos bordejados por salgueiros, os pântanos solitários visitados no inverno por aves aquáticas, tudo dando a impressão de uma natureza abandonada, um pouco triste e melancólica". A planície cerca o homem de silêncio e de melancolia. Solo e vegetação, céu de inverno, a feição local e familiar da Terra com suas distâncias e suas direções, são todos os elementos geográficos que se congregam na paisagem. Lucien Febvre pôde dizer: "Toda a geografia está na análise da paisagem". A paisagem é a geografia compreendida como o que está em torno do homem, como ambiente terrestre.

Muito mais que uma justaposição de detalhes pitorescos, a paisagem é um conjunto, uma convergência, um momento vivido, uma ligação interna, uma "impressão", que une todos os elementos. A mesma paisagem da Ânglia Oriental vai se compor diversamente, com a vinda da bela estação, em torno da presença do homem. "No verão", prossegue Demangeon,

> esses espaços solitários se povoam de turistas, e uma multidão de velas brancas circula por essas águas tranquilas. Longe dos lagos e dos fundos mais úmidos, toda a Terra se recobre de grama, é o domínio pastoral de uma grande riqueza, em que passam milhares

de animais com chifres: pradarias verdes, bois no pasto, moinhos de vento, canais bordejados de salgueiros, barcos à vela aparecendo entre as árvores. Creio encontrar alguma reminiscência das paisagens holandesas[17].

A paisagem se unifica em torno de uma tonalidade afetiva dominante, perfeitamente válida ainda que refratária a toda redução puramente científica. Ela coloca em questão a totalidade do ser humano, suas ligações existenciais com a Terra, ou, se preferirmos, sua *geograficidade* original: a Terra como lugar, base e meio de sua realização. Presença atraente ou estranha, e, no entanto, lúcida. Limpidez de uma relação que afeta a carne e o sangue.

A paisagem não é um círculo fechado, mas um desdobramento. Ela não é verdadeiramente geográfica a não ser pelo fundo, real ou imaginário, que o espaço abre além do olhar. No horizonte da planície canadense, sentimos, diz André Siegfried, "a presença do Grande Norte", amalgamada a suas perspectivas, à sua vida, como o Oeste pode ser para a paisagem do Ohio ou o sul saariano para a Argélia. A paisagem é um escape para toda a Terra, uma janela sobre as possibilidades ilimitadas: um horizonte. Não uma linha fixa, mas um movimento, um impulso.

No âmbito da sua visão cotidiana e de sua movimentação diária habitual, o homem exprime sua relação geográfica com o mundo a partir do ordenamento do solo: "construtor de florestas" na Malásia ou nas landas, destruidor de florestas, do solo vegetal e dos rios no Nordeste brasileiro, ele transforma em outro lugar, em horizonte pastoral, as águas do Zuiderzee. A geografia pode assim exprimir, inscrita no solo e na paisagem, a própria concepção do homem, sua maneira de se encontrar, de se ordenar como ser individual ou coletivo. Em seu belo ensaio, Roger Dion traduziu em linguagem clara o sentido dessas paisagens da França, tão familiares que as consideramos "naturais", a ponto de atribuir rapidamente suas características ao clima ou à composição do solo. As campinas do Norte, com seus campos "abertos", alongados em tiras, suas aldeias aglomeradas, idênticas sobre solos diferentes, resultam de uma economia agrícola muito antiga, submissa a servidões rurais rigorosas, aquelas de um regime agrário comunitário em que o espaço é

17 *Les Îles britanniques*, p. 231-232.

destinado "ao percurso das manadas". Ao contrário, a região do Midi, com suas fazendas dispersas, isoladas em meio a suas cercas, com árvores dispersas, levam a marca de uma agricultura individualista, em que cada um dispõe de "liberdade para cercar e plantar". Assim, a simples leitura atenta da paisagem rural revela esse fato capital da história econômica e social da França, nas margens do Loire está o ponto de encontro de uma civilização germânica, de regime coletivista e pastoril, com uma civilização agrícola e individualista, implantada conforme o direito romano[18].

Esse exemplo prova que a paisagem não é, em sua essência, feita para se olhar, mas a inserção do homem no mundo, lugar de um combate pela vida, manifestação de seu ser com os outros, base de seu ser social. Nos países da morte lenta, a fome impõe sua presença lúgubre e obsessiva à paisagem inteira. Tal é o caso da região brasileira do "Nordeste açucareiro", onde as carências alimentares causam uma mortalidade verdadeiramente assustadora, passando de 300%: "A morte domina todo o Nordeste. Ela está sempre presente. Plaina sobre cada paisagem. Faz parte da vida"[19]. Uma verdade emerge da paisagem, contudo não como teoria geográfica ou mesmo como valor estético, mas como expressão fiel da existência, e é assim que os alinhamentos megalíticos, um castelo feudal, constituem parte integrante da geografia local como testemunhos de uma presença humana que dá sentido a seu entorno. A paisagem não é somente "paisagem da história", campo de batalha ou cidade morta. O Loire abandonado pelo tráfego fluvial tem alguma coisa de próximo, de familiar, mas também de solitário e triste. Esses cais silenciosos falam de homem para homem. A paisagem pressupõe uma presença do homem, mesmo lá onde toma a forma de ausência. Ela fala de um mundo onde o homem realiza sua existência como presença circunspeta e atarefada. A Sologne diz-nos ainda, apesar das transformações recentes, "o que era a existência humana nessas casas construídas com argila e madeira, sem janelas, recobertas de colmo, que subsistem ainda em algumas áreas isoladas" (Vidal de La Blache). O passado revelado na paisagem atesta que a

18 R. Dion, *Essai sur la formation du paysage rural français*.
19 J. de Castro, *Géographie de la faim*, p. 149.

superfície e o volume do espaço terrestre se abre para uma outra dimensão que é atemporal. "Uma grande árvore", notou Bernardin de Sait-Pierre, "onde o tronco é cavernoso e coberto de musgo, nos dá o sentimento da infinitude do tempo". Um vale encaixado onde se manifesta o trabalho prolongado das águas, leva o espírito para as profundidades da duração, de um tempo apreendido como fator secreto da Terra.

É sobretudo lá onde o espaço obedece ao ritmo, em conformidade com nosso próprio ritmo, que nós tomamos consciência da temporalidade: agitação da floresta, ondulação dos trigais ao sopro do vento, vagas e marés. Mas não é necessário que o movimento seja rápido:

> As folhas, uma a uma, em grandes manchas caem
> Sobre o espelho enegrecido das fontes preguiçosas[20]

O deslocamento insensível da geleira e mesmo a imobilidade do lago temporalizam o mundo. "A água", disse Claudel, "é o olhar da Terra, seu aparato para observar o tempo". Há, na paisagem, uma fisionomia, um olhar, uma escuta, como uma expectativa ou uma lembrança. Toda espacialização geográfica, porque é concreta e atualiza o próprio homem em sua existência e porque nela o homem se supera e se evade, comporta também uma temporalização, uma história, um acontecimento.

## EXISTÊNCIA E REALIDADE GEOGRÁFICA

A geografia não é, de início, um conhecimento; a realidade geográfica não é, então, um "objeto"; o espaço geográfico não é um espaço em branco a ser preenchido a seguir com colorido. A ciência geográfica pressupõe que o mundo seja conhecido geograficamente, que o homem se sinta e se saiba ligado à Terra como ser chamado a se realizar em sua condição terrestre.

A geografia não designa uma concepção indiferente ou isolada, ela só trata do que me importa ou do que me interessa no mais alto grau: minha inquietação, minha preocupação,

20 S. George, op. cit., p. 95.

meu bem estar, meus projetos, minhas ligações. A realidade geográfica é, para o homem, então, o lugar onde ele está, os lugares de sua infância, o ambiente que atrai sua presença. Terras que ele pisa ou onde ele trabalha, o horizonte do seu vale, ou a sua rua, o seu bairro, seus deslocamentos cotidianos através da cidade. A realidade geográfica exige, às vezes duramente, o trabalho e o sofrimento dos homens. Ela o restringe e o aprisiona, o ata à "gleba", horizonte estreito imposto pela vida ou pela sociedade a seus gestos e a seus pensamentos. A cor, o modelado, os odores do solo, o arranjo vegetal se misturam com as lembranças, com todos os estados afetivos, com as ideias, mesmo com aquelas que acreditamos serem as mais independentes. Mas essa realidade não toma forma senão em uma irrealidade (*irréalité*) que a ultrapassa e a simboliza. Sua "objetividade" se estabelece em uma subjetividade, que não é pura fantasia. Que a denominemos sonho ou devoção, um elemento impulsiona a realidade concreta do ambiente para além dele mesmo, para além do real, e, então, o saber se resigna sem culpa a um *não saber*, a um mistério. A realidade geográfica exige uma adesão total do sujeito, através de sua vida afetiva, de seu corpo, de seus hábitos, que ele chega a esquecê-los, como pode esquecer sua própria vida orgânica. Ela está, contudo, oculta e pronta a se revelar. O afastamento, o exílio, a invasão tiram o ambiente do esquecimento e o fazem aparecer sob a forma de privação, de sofrimento e de ternura. A nostalgia faz o país aparecer como ausência, sobre o pano de fundo da expatriação, de uma discordância profunda. Conflito entre o geográfico como interioridade, como passado, e do geográfico totalmente externalizado, como presente.

Sempre solidária a uma certa tonalidade afetiva, a realidade geográfica não requer para tanto uma geografia patética, um romantismo da Terra. A "geografia" permanece, habitualmente, discreta, mais vivida que exprimida. É pelo hábitat, pelo ordenamento de seus campos, de suas vinhas, de suas pradarias, por seu gênero de vida, pela circulação das coisas e das pessoas, que o homem exterioriza sua relação fundamental com a Terra. Produto sintético da Terra como base e como horizonte de uma decisão global. Um mesmo país tem um significado para o nômade, outro para o sedentário. Na mesma existência, uma ruptura profunda pode quebrar a relação com a terra natal sob o efeito de um estado emocional violento. Katrina, jovem camponesa finlandesa, ouvindo o marinheiro Johann descrever seu país de origem, as ilhas Aland, *vê* de repente com outros olhos os rudes campos do Osterbotten onde ela cresceu:

> Esse país onde tinha vivido tão despreocupada parecia de repente triste e pobre. A monotonia da planície a desgostava. Nem os campos de centeio, nem os cercados de batatas podiam alegrar seus olhos. Ela sonhava com os campos de trigo amarelo ouro e com as frutas aromáticas, sobretudo com essas maçãs que crescem lá, no sul, nas ilhas encantadas de Aland[21].

Assistimos, aqui, à mudança total que confunde todos os valores, a um verdadeiro "desencantamento", que muda o horizonte do próprio mundo. Tanto é verdadeiro que a realidade mais concreta e mais próxima da Terra só é apreendida por uma interpretação do conjunto, que é uma maneira de se remeter ao Ser. Que a "cor", sob a qual nos aparece a realidade geográfica, depende da preocupação e do interesse dominantes que nos levam ao encontro dos existentes particulares.

Assim podemos conceber que a intensidade geográfica possa variar de uma região para outra, mesmo sob o ponto de vista de uma atitude lúcida e refletida, para não dizer científica. "O lugar é solene", declarou Vidal de La Blache no monte Saint-Michel onde se confinam a Normandia e a Bretanha. É dos lugares privilegiados que o geográfico se torna evidente para o mais indiferente: Penmarch, esse "fim das terras", o Griz-Nes, onde o olhar descortina com tempo claro as falésias de Kent, o pico Midi de Bigorre onde os Pirineus e a imensa planície formam um amplo panorama, o vale de Chamonix ou o de Engandine. Há também regiões banais e monótonas, de onde a atenção se desvia. Acontece da simpatia fazer o espaço sair de seu torpor que, segundo expressão de Konczewski, "desperta a imaginação dos poderes adormecidos da natureza, dirige suas forças cegas para que participem"[22]. Tudo isso recusa um simples determinismo como o que limita o ser vivo a seu meio natural.

21 S. Salminen, *Katrina*, p. 9.
22 Cf. op. cit., p.155.

Num mesmo quadro geográfico, um se abandona, distraído, a uma pluralidade de detalhes, outro, sobre os méritos de múltiplos seres insignificantes, concentra seu interesse sobre uma forma dominante e atribui uma estrutura à realidade geográfica. Pode se produzir, sob o efeito de um choque emocional, uma reorganização dos espaços em unidade. Quando, por exemplo, ressoa a sirene de alerta, a pluralidade natural do espetáculo distendido se contrai bruscamente, se recolhe e se torna "singular". Para o combatente, sob a ameaça do perigo, esse solo, que não pode ser uma extensão qualquer, se torna um poder protetor no qual ele escava um abrigo; ele "se enterra", se "humilha", podemos dizer, revivendo assim o sentido etimológico dessa "*humilitas*" que abate o homem contra a terra (*húmus*) para preservar sua condição humana em perigo.

Essa "singularização" dos espaços terrestres os retira de sua banalidade, como uma redescoberta que revaloriza todas as aparências. Na calma pérfida que reina nas trincheiras, o soldado Paul Lintier anotou, em dezembro de 1915, em seu diário:

> Ali, por trás dessas montanhas, dos perfis admiráveis que suavizam a claridade dessa bela manhã, no próximo minuto, a morte pode nos surpreender. Que alegria haverá em contemplar esses sorrisos da natureza pródiga, mesmo nas estações mais austeras, a respirar, a viver, quando não sabemos se amanhã viveremos, respiraremos, abriremos ainda os olhos sobre o mundo[23].

Lá onde a Terra é aquilo que podemos perder em um instante, ela retoma todo seu frescor de espetáculo único e novo; torna-se um dom, pura gratuidade. É o que quis dizer, sem dúvida, Rainer Maria Rilke, pondo, nos lábios de Orfeu retornando do inferno, essa revelação da Terra dos vivos: "Estar aqui é um esplendor". A partir da morte, a Terra, como Ser retomado do nada, se ilumina em toda sua glória terrestre.

A realidade geográfica age sobre um homem através de um alerta da consciência. Às vezes mesmo, ela opera como um renascimento, como se, antes mesmo de nós tomarmos consciência, ela "já estivesse lá". Tal é a experiência de Guizot descobrindo o

23 *Le Tube*, p.186, citado por J. N. Cru, *Du Témoignage*, p. 217.

mar em Honfleur em 1831 e reconhecendo-o, como que procurando seu ser sem o saber, para desabrochar-se.

> Essa não é uma impressão súbita, singular, que me causou a vista do mar, eu senti minha alma desabrochar naturalmente, facilmente, como se o espaço houvesse faltado até então, e que na presença desse espaço imenso, uniforme, ela encontrasse a plenitude de sua existência e a liberdade de seus movimentos[24].

Testemunho do qual não se pode suspeitar de complacência romântica: o espaço ilimitado se torna um símbolo da extensão, da libertação da existência, para um *retorno* a uma liberdade em certa medida anterior, original.

Múltiplas são as modalidades sob as quais a realidade geográfica conduz, através dos símbolos e de suas imagens, para além da matéria. A água, por exemplo, tem uma função idealizante, aquela do espelho que amplia, repete e enquadra. Nela o mundo se contempla e "tende à beleza" (Bachelard). Rio, lago ou mar, a superfície das águas presta homenagem ao universo e à poesia. O *Bateau ivre* (Barco Ébrio), de Rimbaud, é

> banhado no poema
> Do mar infundido de astros e leitoso
> Devorando os azuis verdes

A água não é somente o espelho com o qual a Terra se estende ao céu, às árvores, às montanhas. Ela mistura as imagens que se levantam das profundezas e aquelas que se referem ao céu ou à costa. A intimidade da substância líquida suaviza o dourado frio do reflexo, e cria um mundo de formas moventes que parecem viver sob o olhar.

A floresta não é somente a extensão arborizada da realidade objetiva. Ela coloca em questão a totalidade da existência. Foi formadora de almas e de sensibilidade. Ela é um "mundo", como denota Jacques Soustelle a propósito da floresta mexicana de Lacandons:

24 *Lettre de Guizot à sa femme* (Carta de Guizot a sua Esposa), publicada por Marie Pierre em *Grands esprits et nobles cœurs*.

> Olhar a floresta do alto ou do exterior, depois penetrá-la, é passar *de um mundo a outro* [...] A floresta tem suas entradas e saídas, como os Infernos [...] Ela tem sua própria atmosfera, uma atmosfera sem sol [...] A terra que jamais é tocada pelo calor direto é lamacenta e macia; afunda-se a cada passo; as raízes lá apodrecem [...] há poças d'água onde a luz não se reflete jamais; elas mal se parecem com água, tanto que elas são escuras, azuis ou verdes. Tudo se desagrega lentamente, e tudo repugna, com um odor suave de podridão[25].

Nosso universo lógico malogra, com seu espaço rigoroso, a essa massa exuberante e apodrecida opaca à luz, em que a vida brota continuamente da morte, da qual a lama exala o odor insípido da morte. Um mundo que absorve o homem, como absorve a luz, e derrota os seus passos firmes, suas ideias claras.

No fluxo de impressões subjetivas que se mistura à nossa apreensão das configurações geográficas, a *cor* se torna a cor do mundo, revela a substância das coisas, num acordo fundamental da nossa existência com o mundo. O azul do Mediterrâneo incita a uma participação substancial em sua profundidade, em sua limpidez. O azul do céu age sobre nós ordinariamente como o fundo que dá forma às colinas e às montanhas e, ao mesmo tempo, como vitória sobre a gravidade, como força aérea que desmaterializa as matérias terrestres, convida ao sonho e à especulação. O azul se comunica às vezes com toda a paisagem. No momento em que cai o orvalho, ele envolve, com sua paz, a praia islandesa:

> O mundo inteiro estava azul, um azul pálido envolvido em vapor. Para o sul, o céu tinha uma tintura azul mais escura, mas, atrás das montanhas, no nordeste, flutuava, delicado e ligeiro como uma bruma, um clarão de um violeta púrpura [...] A vila agora adormecia, aninhada na noite. A fumaça acima dos telhados não tecia mais que um fino véu azul. O mar, ele também, parecia dormir. Sobre os recifes refluía, evaporava rapidamente, uma imperceptível névoa. A baia se tornou um imenso espelho azul como o céu, esse céu muito puro de onde desciam suavemente sobre a terra a paz e o repouso do entardecer[26].

25 *Mexique, terre indienne*, p. 230 (grifo nosso).
26 K. Gudmunsson, *Rive bleue*, p. 28-29.

A percepção sinestésica nos franqueia o acesso a uma certa intimidade com a matéria geográfica. Ela é as cores "quentes", como o amarelo da colheita ou aquele das areias, que elevam o tom da vida, que alegram o mundo; as tintas aveludadas, o verde de certas folhagens e das pradarias, que revelam a natureza das coisas sem a mediação da consciência.

Ligação direta do homem com o mundo, a cor ligada ao movimento e à substância nos permite "ver" imediatamente o desabrochar das flores, a maturidade dos frutos, a aridez do deserto, a dureza do granito. O transbordamento das coisas para fora delas mesmas, ao nosso encontro, nos outorgam parte do próprio ritmo do mundo, das forças em luta. "Os vermelhos de um céu abrasador", escreveu Jean Nogué, "nos dão uma consciência *dramática* do universo, a qual sucede uma forma particular de *recolhimento*, a medida em que a sombra acaba por se insinuar no visível". A realidade geográfica vem assim ressoar em nós. Foi dado a Beethoven, a Weber, a Debussy o dom de perceber e de transmitir a harmonia musical vibrada pelo espaço campestre, silvestre ou marinho.

Movimento, combate, acontecimento, todo esse dinamismo deixa-se adivinhar no espaço concreto da Terra. A intuição especulativa de Whitehead, para quem o próprio espaço está relacionado a eventos, está muito próxima da visão do poeta que, como Victor Hugo crê surpreender, sob a forma de dois rochedos gotejados pela espuma marinha, "dois combatentes suando"; muito próxima da linguagem cotidiana que deixa passar algo dessa experiência elementar da realidade-acontecimento. A alta montanha "se ergue" acima do vale e "se destaca" do maciço vizinho, valorizada pelas vertentes que "lhe fazem face". A localização dessa montanha é resultado dessas relações recíprocas entre lugares-acontecimentos. Como evitar abrir assim a espacialidade geográfica para a perspectiva temporal? A geografia não é, no fim das contas, uma certa maneira de sermos invadidos pela terra, pelo mar, pela distância, de sermos dominados pela montanha, conduzidos em uma direção, atualizados pela paisagem como presença da Terra?

Temporalização de nosso ambiente terrestre, espacialização de nossa finitude, a geografia se dirige, além do saber e da inteligência, ao próprio homem como pessoa e sujeito. Um elemento onde o homem não é o mestre interventor, geralmente inconsciente, na sua experiência geográfica: "A *iluminação*", assim observa Merleau-Ponty, "não está ao lado do objeto", ela é "o que nos faz ver o objeto", está no meio daquilo que somos e que ordinariamente nos escapa, e surge na paisagem. O mesmo lugar terrestre muda assim de valor segundo a estação ou a hora. Para o habitante das brumas nórdicas, a terra provençal é coisa diversa que para os nativos de Marselha ou de Nice. Porém, muitas vezes, são necessárias condições excepcionais para que a iluminação "apareça"; é necessário, por exemplo, que os raios do sol, como ocorre nas regiões polares, atinjam muito obliquamente o sol e lá se reflitam: "O sol, essa noite, ficou acima do horizonte", observou, na Groenlândia, André Cayeux. "Suspenso por horas ele iluminou o solo com sua luz rasante [...] Com o sol da meia noite, cada protuberância, cada rugosidade do solo acentuará seu relevo. É agora ou nunca para tirar fotos excepcionais"[27]. Cúmplice de nossa subjetividade, para não dizer do imaginário.

Igualmente imaginário é o fato de que, nas relações indicadas por *habitar*, *construir*, *cultivar*, *circular*, a Terra é experimentada como *base*. Não somente ponto de apoio espacial e suporte material, mas condição de toda "posição" da existência, de toda ação de assentar e de se estabelecer (*de poser et de reposer*). O sono, declarou Emmanuel Lévinas, ao dissolver nossas relações usuais com as coisas particulares, nos convida a nos concentrarmos sobre essa base, nos coloca imediatamente em relação "com o lugar como suporte do Ser". "Ao nos deitarmos, ao nos encolhermos em um canto para dormir, nos abandonamos ao lugar – ele se torna nosso refúgio como base"[28]. Em nossa relação primordial com o mundo, tal como se manifesta nesse gesto banal, ao nos abandonarmos assim "às virtudes protetoras do lugar", firmamos nosso pacto secreto com a Terra, expressamos, por meio de nossa própria conduta, que nossa subjetividade de sujeito se encolha sobre a terra firme, se assente, ou melhor, "repouse". É desse "lugar", base de nossa existência, que, despertando, tomamos consciência do

27 *Terre arctique: Avec l'expédition française au Groënland*, p. 94.
28 *De l'Existence à l'Existant*, p. 119.

mundo e saímos ao seu encontro, audaciosos ou circunspetos, para trabalhá-lo. Há, no lugar de onde a consciência se eleva para ficar de pé, frente aos seres e aos acontecimentos, qualquer coisa de mais primitivo que o "lar", o país natal, o ponto de ligação, isto é, para os homens e os povos, o lugar onde eles dormem, a casa, a cabana, a tenda, a aldeia. Habitar uma terra, isso é em primeiro lugar se confiar pelo sono àquilo que está, por assim dizer, abaixo de nós: base onde se aconchega nossa subjetividade. Existir é para nós partir de lá, do que é mais profundo em nossa consciência, do que é "fundamental", para destacar no mundo circundante "objetos" aos quais se reportarão nossos cuidados e nossos projetos. Elemento não abstrato ou conceitual, mas concreto. Antes de toda escolha, existe esse "lugar" que não pudemos escolher, onde ocorre a "fundação" de nossa existência terrestre e de nossa condição humana. Podemos mudar de lugar, nos desalojarmos, mas ainda é a procura de um lugar; nos é necessária uma base para assentar o Ser e realizar nossas possibilidades, um *aqui* de onde se descobre o mundo, um *lá* para onde nós iremos. Todo homem tem *seu* país e sua perspectiva terrestre própria. Aflição do exilado, do deportado, de quem são retiradas as bases concretas e próprias de seu ser. Resta-lhe uma quantidade de "objetos": as árvores, as colinas, as casas, mas é sua própria subjetividade que foi ferida, e todas as "razões" não podem lhe recuperar o valor perdido desses "objetos", falta poder "possuí-los" a partir de um suporte. O fato de repousar em um lar ultrapassa o contato inicial com o solo. Mas porque a Terra é a condição mais concreta e mais normal desse repouso, lá onde ela é questionada estão as próprias bases da existência que são roubadas[29].

A Terra, como base, é o advento do sujeito, fundamento de toda a consciência a despertar a si mesma; anterior a toda objetivação, ela se mescla a toda tomada de consciência, ela é para o homem aquilo que ele surge no ser, aquilo sobre o qual ele erige todas as suas obras, o solo de seu hábitat, os materiais de sua casa, o objeto de seu penar, aquilo a que ele adapta sua preocupação de construir e de erigir.

29 Cf. idem, p. 120.

Que há, no fim das contas, alguma coisa de inexprimível e de obscuro nessa relação "fundamental" com a Terra, foi o que mostrou Heidegger em seu estudo intitulado *Der Ursprung des Kunstwerkes* (A Origem da Obra de Arte). Visão do templo grego construído acima do mar.

> O edifício se situa, presença silenciosa, sobre a rocha. Obra humana, ele repousa sobre o suporte rígido que lhe oferece o rochedo cuja massa escura se avoluma sem razão aparente. Ele está firme sob a tempestade raivosa, e ele a revela em toda sua violência. A luminosidade e o esplendor da pedra, que não brilha por si mesma, mas por um dom do sol, dá ao dia toda sua luz, ao céu toda a sua imensidão, à noite toda sua obscuridade. Ele domina, e sua estatura firme torna visível o invisível espaço aéreo. Inquebrantável, a obra dos homens se mantém afastada das vagas, e seu silêncio faz ressoar o seu rugido. A árvore, como a grama, a águia e o astro, a serpente e a cigarra revestem-se agora da forma distinta que é sua, é agora que eles aparecem tal como o são. Esse fato de sair à luz e de se abrir para a totalidade, é o que os gregos designam pelo nome de *physis*. Ela esclarece sobre o que o homem funda seu hábitat. Nós a chamamos de Terra.

Escusado será dizer que nessa passagem a Terra, deixando seu significado propriamente geográfico, designa o fundo escuro de onde todos os seres saem para a luz, e a essência da Terra é o que esconde sempre algo em cada um dos seres, no momento em que eles se expõem à luz. O trabalho do homem consiste, ao construir o templo, em retirar da pedra o metal, da costa a noite de seu torpor, de sua obscuridade original, sem nunca chegar a subtraí-los inteiramente da Terra, que está na sombra e os dissimula. O homem está em um combate incessante, é o dia que dá às coisas um sentido, uma grandeza, um afastamento, fazendo emergir um mundo, é a noite, da "Terra", fundo escuro, a que retorna a obra humana, quando, abandonada, volta a ser pedra, madeira e metal.

Embora a Terra seja citada aqui num sentido que ultrapassa seu uso geográfico, a escolha desse termo não será puramente arbitrária. É da "Terra", como profundeza ctoniana*, que

* Termo da mitologia que se refere a Ctonos, nome dado à Terra, mãe dos Titãs. Significa o aspecto interno obscuro, o lado ameaçador. Chamavam-se ctonianos os deuses que residiam nas cavidades da terra (N. da T.).

extraímos a pedra. No entanto, o elemento "terrestre" da pedra resiste a nossos esforços de penetrar em sua natureza. Podemos quebrá-la em mil fragmentos, mas nela não encontraremos jamais qualquer coisa de "interior" que nos revele seu segredo. A pedra deixa em nossas mãos um número, um peso, pedaços, porém ela "já foi retirada do torpor inexorável de seu peso e de sua massa". Quando queremos reduzir o geográfico a um conhecimento puramente objetivo, o elemento propriamente "terrestre" da terra se dissipa. As noções e as leis que podemos identificar só mantêm o seu valor se o arrancamos num combate a uma coisa que continua a se dissimular, a uma existência bruta. É essa luta incessante entre a luz e a escuridão, entre o Homem e a Terra, que confere a toda construção humana o que ela tem de concreta e de real, e toda descoberta da Terra, toda "geografia", ao mesmo tempo que é, de alguma maneira, concessão à Terra, abandona a fonte que nos faz existir, manifesta nossa historicidade fundamental.

Inversamente, o espaço terrestre aparece como a condição de realização de toda realidade histórica, que lhe dá corpo e assinala a cada existente o seu lugar. É a Terra que, podemos dizer, *estabiliza* a existência. No ritmo da vida, ela traz o elemento de repouso e de abrandamento que modera sua inquietude e sua tensão. Uma calma e um equilíbrio emanam das grandes planícies, das montanhas e do oceano, do trabalho na terra, da vegetação e dos ciclos da vida orgânica. A Terra é, por excelência, para o homem, como destino, a *circunstância* (*circumstare*), aquilo que se ergue à sua volta e mantém sua presença como engajamento no Ser. O distante e o próximo, a vertente ensolarada e a vertente sombreada, a fuga horizontal dos rios e dos campos, a vertical dos altos cimos, confirmam a todo instante a existência com a sua presença, como espacialização do mundo, emersão acima das coisas.

O homem procura a Terra, ele a espera e a chama com todo o seu ser. Antes mesmo de tê-la encontrado, ele vai adiante dela e a *reconhece*. Pierre Loti contou como, em sua infância, o mar, que era a tendência profunda de seu ser, se fez reconhecer para ele:

> Repentinamente, eu me afastei, gelado, tremendo de medo. Diante de mim, alguma coisa apareceu, alguma coisa sombria e

barulhenta, que surgiu de todos os lados ao mesmo tempo, e que parecia não acabar: uma extensão em movimento que me dava uma vertigem mortal [...] Evidentemente, era aquilo: nem um minuto de hesitação, nem de surpresa que *fosse assim*. Não, nada mais que o espanto; eu o *reconheci* e eu tremi.

Como reconhecer aquilo que não conhecemos de alguma maneira? Pressentimento ou aspiração. As realidades geográficas representam um símbolo da alma que não tem nada a ver com um saber, mas que a ciência retoma posteriormente como um projeto novo. O que o homem encontra, assim, na Terra, é uma "feição", um certo acolhimento. É porque ele exprime sua decepção quando ela não lhe apresenta mais que a pura objetividade de um existente bruto. "Na zona limítrofe entre os rochedos e os glaciares", escreveu o alpinista Jean Proal[30], "a montanha perdeu todo o traço do que podemos chamar de sua *humanidade* [...] Ela não é sobre-humana, ela é *desumana*. Ela não rejeita o homem, ela o *ignora*". Rejeitar um ser é, de certa maneira, ratificar sua existência, confirmá-lo como Ser. Ignorá-lo é arrebatá-lo de todo significado, de todo valor, livrá-lo do absurdo total do homem atado a um ser em um mundo que não foi feito para ele, expô-lo à angústia do existente que se sente *supérfluo* e está a procura de desculpas.

Pode haver uma vertigem geográfica, e Jean Grenier a mostrou, o homem, diante da "revelação" de certas paisagens terrestres, se sente esmagado pelo excesso, pela superabundância. Tal é a personagem que, descobrindo o Sena pela janela de seu quarto, "um imenso espaço onde redemoinham as árvores, os céus, as vinhas e as igrejas", começa a soluçar "não de admiração, mas de impotência". O vazio se torna uma surpresa para a realidade humana onde, no entanto, um oferecimento total continua a lhe ser inacessível, aniquilando-a repentinamente de uma existência que revela a mediocridade de sua própria vida. O mesmo autor fala, também, desses espetáculos que, em situações afetivas determinadas, provocam uma *atração* irresistível, uma vertigem, um pedido para morrer, quando a beleza da paisagem ou a intensidade do sol criam um vazio em torno do homem e o deixam com a tentação de se juntar

30 *Au pays du chamois*, p. 394 (grifo nosso).

ao nada, como acontece nos terraços de Capri ou na Giralda de Sevilha[31]. Situações, sem nenhuma dúvida, extremas, e que dão um ar de verossimilhança humana a certas lendas, muito utilizadas e bem desgastadas, como a antiga tradição das sereias. Todavia, é necessário lembrar-se dessa experiência como um tipo de "fulguração do ser", de um começo absoluto do existir, que faz do encontro com a Terra muito mais do que um espetáculo banal e insignificante: uma ultrapassagem enlevada da mediocridade cotidiana, um sobrevoo de si, uma evasão para uma nova dimensão do ser, como a encontravam, à sua maneira, os antigos cultos orgiásticos e as religiões da embriaguez sagrada.

31 J. Grenier, *Les Îles*, p. 84.

ao turista, como acontece nos terraços de Capri ou na Giralda de Sevilha[7]. Situações, sem nenhuma dúvida, extremas, e que dão uma [illegible] humana [illegible] [illegible] [illegible] [illegible] [illegible] de Fulgur [illegible] "do [illegible]" de [illegible] [illegible] que foi [illegible] contra [illegible] muito [illegible] do que [illegible] instigando [illegible] uma [illegible] [illegible] [illegible] [illegible] [illegible] [illegible] quela.

# 2. História da Geografia

Se a geografia como realidade terrestre é o "lugar" da história, uma persistência que ultrapassa o acontecimento, as geografias como concepções do mundo circundante são testemunhos de épocas sucessivas onde elas eram a imagem admitida da Terra. A história da geografia que nós esboçamos aqui não se confunde nem com uma história da descoberta da Terra, nem com o estudo do desenvolvimento da ciência geográfica. O que nos importa, antes de tudo, é o despertar de uma consciência geográfica, através das diferentes intenções sob as quais aparece ao homem a fisionomia da Terra. Trata-se menos de períodos cronológicos do que de atitudes duráveis do espírito humano frente a frente com a realidade circundante e cotidiana, em correlação com as formas dominantes da sensibilidade, do pensamento e da crença de uma época ou de uma civilização. Essas "geografias" se ligam cada uma delas a certa concepção global do mundo, a uma inquietude central, a uma luta efetiva contra o "fundo escuro" da natureza circundante. É dizer que essa história só faz sentido se compreendemos que a Terra não é um dado bruto a medirmos como ele "se dá", mas que sempre transita entre o Homem e a Terra uma *interpretação*, uma estrutura e um "horizonte" de mundo, um "esclarecimento" que mostra o real no real, uma "base" a partir da qual a consciência se desenvolve.

## A GEOGRAFIA MÍTICA

Nas sociedades ditas primitivas e na maior parte das sociedades antigas e medievais, a ligação do homem com a Terra recebeu, na atmosfera espaço-temporal do mundo mágico-mítico, um sentido essencialmente qualitativo. A geografia é mais do que uma base ou um elemento. Ela é um *poder*. Da Terra vêm as forças que atacam ou protegem o homem, que determinam sua existência social e seu próprio comportamento, que se misturam com sua vida orgânica e psíquica, a tal ponto que é impossível separar o mundo exterior dos fatos propriamente humanos.

a. A Terra, no universo mítico, é *origem*. Ela é a fonte da vida, é de onde os homens saem, assim como todos os seres e os contrários que eles vigiam durante toda a sua vida, é fonte das relações e das obrigações filiais. Somos tentados a pensar nessa "origem" a partir de nossas categorias de anterioridade cronológica e de causalidade. Mas seria imprudente nos determos nessa interpretação. As interpretações da "mitologia" clássica relativas a Deméter não passam de mitos dessacralizados. Não é menos legítimo destacar a antiguidade e universalidade da religião da *Tellus Mater* sobre a qual se passaram milênios sem a abalar. Na base do culto às divindades ctonianas, há esse sentimento de que a Terra está viva e é vivificante, poder da fertilidade e da fecundidade, em relação estreita com a feminilidade em sua função maternal universal. O homem, diz um mito australiano, é feito de terra. A narrativa do *Gênesis* mostra Adão formado de lama; a relação etimológica conservada pela língua latina *húmus*, *humanus*, expressa a mesma experiência mítica. Vir ao mundo é se destacar da terra, mas sem romper jamais, inteiramente, com o cordão umbilical pelo qual a terra nutre o homem. Em tal concepção mais "vivida" que concebida, a relação não é somente aquela de um passado original, porém a da sempre atual *religio*, que o culto deve renovar todo dia. Do mesmo modo, a morte remete o homem à sua "morada", ao seio materno, para novas gerações.

Essa relação existencial inspira uma quantidade de ritos e de atitudes mentais: "É um pecado", disse um profeta indiano, "ferir ou golpear, dilacerar ou raspar nossa mãe comum com os trabalhos agrícolas"[1]. O manuseio da terra se faz sempre nos limites da celebração e do sacrilégio (*cultus*: culto, cultura). O costume de dar à tumba ou à urna funerária a forma de casa, o desejo manifestado até a nossa época, pelos povos mais diversos, de ser enterrado no solo pátrio, deriva dessa relação afetiva do homem com a Terra.

Poder ctoniano, ocorrendo nos lugares subterrâneos, relacionado com a morte, mas também poder procriador, que não cessa com sua obra de fazer nascer, reproduzir, germinar, a Terra é, sob todos os aspectos, potencial da vida e da amamentação que transmite para os homens a própria substância. Pelos grãos que amadurecem em seu seio, pelo trigo, a batata ou o inhame, pelo vinho que surge do solo através da planta, pelo azeite, pelo mel, pelas fontes que ela derrama generosamente. Produz-se uma troca recíproca constante entre o homem e a Terra. É preciso renovar as virtudes nutritivas e fecundantes da Terra: os ritos de sacrifício, de animais, de frutas, de farinha, vão recompor a Terra em seu potencial de vida. Os trabalhos agrícolas são rituais, orientados para uma "disposição" da Terra em produzir; é necessário fortificá-la. *Cultus* quer dizer também "ornamento": não contentes em regar a árvore, veículo da vida, a ornam, a pintam com cores vivas, são penduradas guirlandas. A árvore é tratada como uma pessoa, como um poder, porque nela habita um princípio sagrado da vida.

Visto que a Terra é a mãe de tudo o que vive, de tudo que *é*, um laço de parentesco une o homem a tudo que o cerca, às árvores, aos animais, até às pedras. A montanha, o vale, a floresta não são simplesmente um quadro, um "exterior", mesmo que familiar. Eles são o próprio homem. É lá que ele se realiza e se conhece. É deles que provém sua existência: os índios do Peru creem que descendem das montanhas e das pedras; outros povos atribuem às grutas, às fontes, aos rios a origem das crianças; tal charco, tal pradaria passa por possuir os germes que fecundam as mulheres quando elas os atravessam; em outros

1 M. Eliade, *Traité d'histoire des religions*, p. 219.

casos, são as rãs, os peixes, as plantas aquáticas que abrigam as crianças, antes de elas serem recolhidas ao ventre materno. Essa relação vivida dos homens com lugares determinados faz verdadeiramente deles, num sentido rigoroso, "gente do lugar", "autóctones", como diziam os gregos. O grupo humano, clã ou tribo, é uma coisa só com sua região de origem, emigrar é uma ruptura profunda: um transplante, uma perda de substância.

Muito importante é o papel que tem, nessa geografia mítica, o simbolismo aquático. Em todas as religiões, a água intervém como fator de regeneração, de aumento no potencial da vida. "Receptáculo de todos os germes, substância primordial onde nascem todas as formas"[2], as águas constituem o espaço primordial, possuindo o mais alto grau do poder de "começar", de manter prontas as virtualidades, de renovar a energia vital dos seres que nelas mergulham. Tudo naturalmente relacionado com a seiva, o sangue e o leite. Particularmente ativa na chuva fecundante, a água se torna facilmente o símbolo, por excelência, da vida, como atestam todas as alusões à "água da vida", à "fonte da juventude", aos ritos do batismo e da lustração. Essa importância das águas no mundo mítico passou para o primeiro plano nas representações coletivas de certos povos: os de Java situam ao sul de seu país um "mar de crianças"; os do Brasil "se recordam" do tempo em que "eles ainda viviam na água".

Está claro que em tal interpretação em que a Terra é a substância da qual são feitos os homens, ou em que as árvores, os rochedos, os outeiros são os ancestrais, em que o rio, o lago, o mar regeneram os seres, o homem não pode se ater à observação de objetos inanimados. Aquilo que chamamos de subjetividade é transferida às realidades geográficas, e é o homem que se sente e se vê como *objeto*: produto ou joguete de forças que se manifestam para ele em seu ambiente, e sobre os quais ele reage com sua magia e seus ritos. Mesmo os estados emocionais ou afetivos, como o medo, o ciúme ou o amor, que nos "situam" na vida interior, lhe aparecem como a infusão de algum poder difuso em seu entorno e que, do exterior, vem lhe invadir. E é para aí, para esse *exterior* pleno de vida e de poder, que ele se transporta naturalmente, tomando distância

2 Idem, p.168 e s.

de si mesmo, para se observar, para fincar pé sobre um ser mais forte, mais durável e mais "essencial" que ele mesmo.

b. A Terra não é somente origem, ela é presença. A realidade humana se atualiza como possibilidade, convocando o ser pelo conjunto das presenças que o cercam. A Terra se manifesta como atualização que não cessa de se renovar em virtude da função eternizante do mundo. O mito não é de forma alguma a narrativa de um acontecimento ocorrido em uma data precisa e única. Ele é absoluto, isento do tempo como data ou momento. Essencial, ele engloba todos os existentes. Essa "essência", realidade típica e exemplar, os diversos seres a atualizam, a repetem e a manifestam. São o murmúrio do mar, o brilho do sol, o vento, as plantas e os animais, no meio dos quais ele se sente presente, que o asseguram de sua presença efetiva. Essa atualização se produz, na maioria das vezes, sob a forma de um retorno periódico, ciclo do dia e da noite, ciclo lunar, ciclo das estações e dos trabalhos agrícolas, ciclo vegetativo e orgânico nas plantas e nos animais. É ao longo dessas variações no aspecto do mundo exterior, na renovação constante dos seres e das formas, que o presente se revigora e se transmite como uma reserva oculta de verdor e de força. É, portanto, real o espaço efetivamente abarcado pelo olhar do homem, espacializado pelo encontro atual com uma paisagem com que se depara e que se anuncia para ele. Assim o navio que "desapareceu no horizonte [...] saiu do espaço"[3]. O espaço não é uma realidade subsistente: ele se subtrai lá onde o homem não pode segui-lo. Não é o homem que faz uma ideia do espaço, é o espaço que vem ao seu encontro e o chama; ele só existe nessa atualização, nesse movimento de se apresentar. Isso não significa que o que está "fora do espaço" esteja fora da realidade. Um navio que sairá do espaço é irreal em nossa geografia. Sair do espaço, conserva para o melanésio uma realidade potencial, uma realidade devido à vontade que apoia e garante o mundo. Os "primitivos" têm uma propensão de representar fora do espaço os lugares geográficos que lhes ensinam os brancos[4]; esses lugares não possuem esse tipo de realidade mítica garantida, validada pelo mito, e que tem, a nossos olhos, algo de flutuante,

3 M. Leenhardt, *Do Kamo*, p. 64.
4 Idem, p. 63.

de irreal, da matéria dos sonhos. É dessa substância estranha que é feito, para os nativos das ilhas Trobriand, o avião que viram em uma ilustração e que chamam de *lili'u*[5].

O espaço aparece, por conseguinte, aqui, sempre na medida do homem: substancial, finito, qualificado em suas distâncias, avaliado por "medidas" que são "reais": passos, tiro de flecha, dia de marcha. Espaço fluído, difuso, que se abre, de qualquer modo, diante do homem, que sob a ação da magia se dilata e se alterna. Em certos estados afetivos violentos, o indiano ou o melanésio lança uma flecha para o céu para colocá-lo sob seu domínio: alternando com outras flechas lançadas por uns e por outros, a finalidade primordial atenderá assim a seu objetivo, colocando o céu ao alcance do homem, abrindo diante dele o próprio espaço.

O espaço do primitivo, sempre permeado pela experiência vivida, condensada nesses pequenos vales, nessas choupanas, nesses grupos de árvores que atraem seu interesse, se presta mal a interpretações que, a partir da crença em certas imagens sedutoras, caem em uma amplificação racional leviana. Certas alusões do mito aos fenômenos luminosos são muito rapidamente tomadas pelos equivalentes das célebres cosmologias solares do Egito ou do Irã. Os "filhos do dia" de que falam certos mitos da Oceania falam de um quadro singelo de jovens raparigas aparecendo "sobre o horizonte marinho para a glória da aurora"[6]. Sobrenatural, diremos talvez, mas é esse sobrenatural que a fisionomia da Terra oferece "naturalmente" ao homem quando se deixa penetrar pela magia das formas e da luz. A glória é aqui o sobrenatural visível através da natureza, iluminação através da luz. Espaço descoberto e cantado a partir de uma situação afetiva acolhedora pela harmonia da cor e da luz. Espaço experimentado como presença, como extensão, como semblante do poder que o habita.

A terra, poder telúrico da pedra viva e da vida petrificada, não está limitada à superfície visível das coisas. A superfície é somente a zona de aparição das forças ocultas; a subida à superfície do sagrado revela uma presença difusa, sempre pronta a se mostrar sem se libertar. Entre os bambara, *Faro*, detentor da

5 Van der Leeuw, *L'Homme primitf et la religion*, p. 108.
6 M. Leenhardt, op. cit., p. 64.

vida e mestre da luz, está presente nos fenômenos atmosféricos, a chuva, o trovão, o arco-íris, em cada torrente e na menor gota de orvalho; ele sobe com o vapor azul que emana dos pântanos e sua cólera seca os córregos[7]. As formas se ocultam em outras que, logo, aparecerão: as plantas do rio permitem o nascimento dos peixes. Entre os marind-anin, da Nova Guiné, uma força misteriosa, encerrada nas plantas e nas pedras, as transforma em seres humanos. Formas instáveis, presença permanente. As metamorfoses de contos de fadas conservam, sob uma forma literária, a lembrança, algumas vezes nostálgica, desse mundo em que o visível é apenas o dom revogável de um poder invisível.

Lá onde a morte é apenas um modo de existência, no máximo uma mudança de forma ou de residência, os defuntos, os ancestrais e os deuses vivem ao lado dos seres humanos. Os *demas** dos marind-anim estão espalhados por toda parte, na terra, nas águas, no mar, de onde surgem como seres bizarros, como fenômenos estranhos. Nos campos de batalha onde tombam os heróis florescem a roseira e a roseira brava. Uma tradição da Nova Caledônia quer que os defuntos passem a levar sua existência em vilas submarinas; em outra parte, estão as charnecas desnudas, as elevações áridas que acolhem as danças dos mortos deificados, arrebatando, em sua ronda pela madrugada, toda a natureza circundante. As anfractuosidades dos rochedos e as sombras da floresta são os lugares onde o homem se sente em contato imediato com os invisíveis. Seres angelicais ou demoníacos, elfos, duendes, gênios, povoam as solidões desérticas, as montanhas incultas, as florestas, as águas. Wotan atravessa com seu bando feroz as borrascas noturnas e Dionísio lança-se nos montes e vales à "caça selvagem".

São todas essas presenças que habitam e animam a geografia mítica; presenças dispersas pelo espaço e atrás dele, que agitam as profundezas emotivas e afetivas do homem, porque cada nascer do sol é uma vitória sobre as trevas e o cintilar de cada estrela um sinal que lhe faz o mundo. Tudo lhe diz alguma coisa. Um relâmpago, um arco-íris, uma tempestade, são para ele um presságio, uma advertência, uma linguagem

7 G. Dieterlen, *Essai sur la religion bambara*, p. 44.

* Os marind-anim da Nova Guiné chamam de *demas* as criaturas divinas e seres primordiais que viviam nos tempos míticos (N. da E.).

cifrada. O espaço mesmo é um poder que assume todo o seu valor numinoso no deserto ou na estepe, e o arquiteto dele se servirá para cercar os santuários de majestade e de silêncio.

c. Ao examinar a Terra como origem e como presença, não pudemos evitar fazer alusão a uma terceira característica da geografia mítica. Uma realidade geográfica infundida de poder *sobrenatural* requer uma atitude temerosa e respeitosa, uma crença e uma inquietude "metafísica". Os primitivos, os antigos, os orientais não têm, jamais, a respeito da Terra, o desapego objetivo dos modernos, nem seu desdém técnico por uma realidade que não será mais do que matéria e material. *Ser extensão* é, para a Terra, exercer um poder de afastamento ou de aproximação, estender as distâncias como uma repulsa ou um dom. Uma direção é um poder que se coloca diante do homem, para dirigi-lo, "orientá-lo", um poder que pode se ocultar dele ao confundir-se ou ao esconder-se. Habitar a Terra, percorrê-la, plantar ou construir é tratá-la como um poder que deve ser honrado: cada um de seus atos é uma celebração, um reconhecimento do laço sagrado que une o homem aos seres da Terra, das águas ou do ar. No sentido etimológico, a Terra deve ser "contemplada". Impossível distinguir aqui o que chamaríamos a esfera propriamente geográfica do mundo de sua esfera cosmográfica. O sol, a lua, as estrelas fazem parte da realidade geográfica, da paisagem circundante. Para os índios cora, as estrelas são "as flores que desabrocham". Os negros do Togo admitem que cada aldeia tem "seu" sol. Relações estreitas unem, às vezes, fenômenos que atribuímos a domínios completamente diferentes: o mesmo poder se manifesta nas fases lunares, nas aparições e desaparecimentos dos peixes, no brilho cambiante da pérola. Portar o emblema do sol sobre si é assegurar-se de possuir uma parte do poder cósmico desse astro. Na base da geografia dos primitivos, há um comportamento religioso, é através desse valor sagrado que se manifestam os "fatos" geográficos. Nenhum fato pode refutar jamais a interpretação mítica, porque só o que é garantido pelo mito se torna verdadeiramente real.

Quer dizer que certos fatos que tomamos como reais não o são necessariamente para uma geografia mítica. A realidade geográfica apresenta lacunas, zonas de "silêncio" que escapam da atenção do homem e "não lhe dizem nada". Existem, nós vimos, "regiões" carregadas de valor negativo, terras maléficas, abandonadas à desordem e às forças impuras. Há, enfim, regiões onde se condensa o sagrado, onde ele se manifesta com insistência. Montanhas sagradas como o Fujiyama, o monte Garizim ou o Olimpo; florestas povoadas de poderes, como as da Irlanda, da Gália ou da Germânia; rios plenos de poder purificador como o Ganges ou o Nilo. O complexo sagrado--maldito, sempre instável e reversível, mantém sobre suas delimitações uma incerteza profunda, o "mundo" selvagem e sublevado pode a qualquer momento invadir o "mundo" ordenado e cultivado. É a duras penas que o homem defende seu estreito domínio com as armas da magia contra os poderes da floresta e do cerrado. Além disso, a esfera maldita é objeto de ritos e de encantamentos que não diferem totalmente das tradições religiosas propriamente ditas, e a zona tomada pelo caos continua escondendo as forças e os lugares capazes de se comportar como inimigos do grupo e de seus deuses.

Mas não se deve concluir que tudo é fluido e indeterminado nesse espaço compreendido como um poder. O poder está ligado a elementos bem localizados do país, e pode a todo instante se ativar. O herói-cavaleiro Yvain, ao verter a água sobre um rochedo na floresta de Brocéliande, faz irromper a tempestade e jorrar a chuva. Os carvalhos sagrados de Dodona, de Geismar ou de Upsala são árvores bem definidas. Os totens, disse Elkin, "são sempre locais", ligados "a uma área bem definida do território da tribo"[8]. Esses lugares, bem entendido, não são divindades por eles mesmos; porém é neles que "tem lugar" a hierofania, e ela continua a ser algo, um tipo de sortilégio mágico ou de emanação mítica. Por isso endereçamos nossas preces em sítios consagrados. Na Nova Caledônia, a prece aos lugares topográficos precede a prece aos ancestrais; porque ela pertence a uma forma muito antiga de religião, a dos totens. Ora, o totem está ligado aos "centros totêmicos", lugares frequentados pelo clã totêmico, lugares "reservados", sagrados.

Cada "meio" sagrado tem naturalmente sua ressonância numinosa própria: existem as águas sagradas e o meio florestal sagrado; a montanha é um "domínio" sagrado que tem afinidades com

8 L. Lévy-Bruhl, *La Mythologie primitive*, p. 16.

as ideias de ascensão, de altura, de solidão. A consistência age de modo absoluto na pedra, no rochedo, na escarpa: "antes de tudo, a pedra *é*"[9]. Ela é o existente por excelência, aquilo que resiste e subsiste, aquilo em que se tropeça e que nos suporta. É uma qualidade diretamente experimentada, à qual se estendem todos os seres pelo endurecimento. A pedra é um acontecimento em si própria e uma possibilidade para os outros seres. Certas línguas têm um verbo significando "tornar-se pedra". A pedra tem um significado que ultrapassa a noção mineralógica que nós temos. Ela provém de alguma coisa: entre os aranda da Austrália, as pedras são os ancestrais visíveis no território dos descendentes, signos sensíveis de uma perpetuidade, onde os vivos são a manifestação "atual". Assim essas pedras e esses rochedos, são os mitos incorporados ao torrão natal (*terroir*), onde a dureza (*durus*) não é mais que a duração (*durare*) tangível. Aquilo que parece mais distante da vida contém e manifesta sem dúvida uma presença viva.

d. A Terra é o maior princípio da unidade do grupo, clã ou tribo, a forma e a condição do homem de *ser-com*. É o quadro natal da comunidade, uma certa região, um céu, os locais selvagens e as terras plantadas: muitas vezes o único mundo conhecido; porque sempre foi o único que "reconheceram", é o único legítimo, o único "verdadeiro". Porém é muito mais do que isso: o país dos ancestrais e dos deuses, a Terra o preenche com sua substância e seu poder, a "pátria" no sentido original do termo. É da Terra que são extraídos os membros do grupo, a argila de que são feitos. Enfim é a comunidade, vivida e compreendida como comunidade, em sua forma durável e fundamental.

Nesse mundo mítico, onde a pessoa individualmente não possui "existência", onde o indivíduo *só é* como parte de um todo, membro de um clã, depositário de uma função, a Terra é a base do sujeito coletivo, o suporte concreto da essência permanente e invisível atualizada no grupo vivo. Entre o grupo e a Terra, os laços são renovados a cada dia pela circulação da vida que vai do homem para as terras, as plantas e os animais, e que vem da comunidade. Uma mesma corrente de vida circulando na sociedade e na "natureza", o homem tem a substância, a

9 M. Eliade, op. cit., p. 191.

matéria, a essência da própria realidade geográfica. Mais tarde ele será lembrança persistente dessa unidade de substância e de vida, toda a força que se liga, ainda na tragédia grega, aos termos de "raça" e de "sangue". Nessas noções sobrevive uma ligação estreita com a Terra. Porque a raça não é somente a permanência humana ao longo da linhagem, mas é a fidelidade ao laço terrestre, muitas vezes evidenciado por um emblema e pelo próprio sobrenome, ela é a transmissão dessa seiva que vem da Terra[10], renovada pelo trigo, pelo vinho, pelo azeite, retirados dos campos de cultivo.

Essa força de coesão que a Terra transmite à comunidade humana se exerce com uma intensidade e uma amplitude particulares na e pela relação *totêmica*. Que eu seja canguru, tubarão, coqueiro, ou mais modestamente lagarta, minhoca, erva, o totem está, de um lado, ligado ao centro totêmico, centro local do qual participa estreitamente, de outro, ao grupo social, emanação da qualidade totêmica. O mito assegura e garante esse parentesco. Os cangurus, para os aruntas, são realmente membros de seus clãs. Para os papuas de Dobu, ser humano, *tomot*, é o que revela a mesma unidade "geográfica", é o que participa no solo, no céu, da atmosfera mítica da ilha. Os brancos, porque não apresentam a mesma "geografia", são excluídos dessa categoria. Por outro lado, o termo *tomot* se aplica naturalmente aos *yams*, tubérculos dos quais se alimentam os insulares. Os *yams* são pessoas com as quais se "fala", que "passeiam à noite, integralmente, hastes e raízes", e não existe nenhuma das barreiras que criamos entre vegetais e humanos. Eles fazem parte da mesma classe que os papuas, a tal ponto que, transplantados, eles se recusarão a germinar e crescer. Ao contrário, os brancos vêm de outro "mundo", onde os indígenas não podem aplicar nem suas categorias, nem seu vocabulário. Da mesma forma, os esquimós consideram os brancos como *outros*, como irredutíveis em suas atitudes mentais, por essa razão eles não têm nada em comum com a Terra, o clima, o mar, com os ancestrais míticos que formam seu "mundo"[11].

10 As lendas, como a de Deucalião, que mostram as pedras lançadas pelos heróis, querem dizer, "os ossos da Terra", metamorfoseadas no sítio em seres humanos, falam aos helenos sobre sua origem terrestre.

11 L. Lévy-Bruhl, op. cit., p. 63-80.

A chegada dos europeus à Oceania foi interpretada literalmente como a intrusão de um "outro mundo" em seu próprio horizonte: esses homens livrando-se de todas as qualidades e valores habituais e mesmo imagináveis, são considerados como fantasmas.

Essa relação fundamental do grupo social com sua "geografia", sob a forma de participação, de circulação de vida, de celebração é mantida, fortalecida, pelas cerimônias e festas. Essas ações sagradas, frequentemente realizadas nos "centros totêmicos" locais, visam facilitar o crescimento e a reprodução das qualidades totêmicas; indiretamente, pois a natureza está viva, e essa natureza vivente não vai por si só, mas a regularidade de suas manifestações depende das operações mágico-religiosas; enfim, para que a natureza e o grupo humano pertençam à mesma unidade vital, é necessária a celebração coletiva para que a Terra conserve seu poder, para que suas colheitas continuem a crescer e os homens a se perpetuar. Contudo, no fim das contas, essas cerimônias que *fazem ser* a natureza circundante e mantêm a vida, que asseguram o retorno da chuva, das estações, a alimentação, estão englobadas na interpretação mítica do mundo. A Terra não é esse fato bruto de um existente que é por si mesmo; os rios, as montanhas, as pedras, as árvores não passam de produtos das leis que regem o mundo "naturalmente". Tudo só pode existir se for *fundado*. A realidade do rio, da montanha, da Terra não é uma realidade *subsistente*, mas validada, instituída; é o mito que valida e constrói a realidade. Aí está, para nós, o verdadeiro sentido desses mitos, quer imprudentemente invocados por alguns, quer desacreditados hoje em dia por muitos autores, são os "mitos da criação" ou os "mitos axiológicos". É temerário tomar essas "cosmogonias", embora muitas vezes elas pareçam ceder a um tipo de narrativa cronológica, por "histórias" ou mesmo por "gêneses". Na medida em que esses mitos cedem a "histórias" desse tipo, estamos frente a mitos degenerados, a lendas: eles revelam, com efeito, um certo trabalho de intelecção, de explicação pela via histórica. De fato, os mitos da criação, como todos os mitos, envolvem a realidade sensível e a validam. São, sobretudo, mitos de "fundação", pelos quais a presença "dessa" montanha, "dessas" ilhas, "desse" rio se torna garantida. Trata-se de um tipo de "ontologia" ingênua, justificada pela "instituição" mítica, expressa simbolicamente pela noção de "origem", justificada em segundo grau pelo rito, ele mesmo validado pela palavra do mito. De fato, essa fundação não se trata de um acontecimento relegado a um passado longínquo; ela continua e é atual. Para encontrarmos um correspondente em nossa mentalidade moderna, será necessário invocar um dos grandes "princípios" que "sustentam" o mundo: a lei da gravitação universal ou ainda o princípio da conservação da matéria.

É fácil verificá-los para realidades bem determinadas. Assim, entre os dobu, "Um rochedo movente submarino, chamado Nuakekepaki, é temível, faz naufragar as canoas ao largo". O mito conta que Nuakekepaki é um "homem-rochedo" do alto mar que, "a fim de pagar os moradores da terra por uma mulher que tinha tomado, perfurava as canoas para se apossar dos objetos precisos que elas continham". Hoje, mesmo conhecido o hábito, ele continua a usar o estratagema, ainda que não exista mais a famosa dívida[12]. É também o mito que fixa os lugares consagrados às cerimônias, os lugares totêmicos. Em virtude do mesmo processo, são os mitos que revelam os locais secretos onde os espíritos ancestrais habitam e de onde os ritos apropriados os farão para que entrem nas espécies animais e provoquem a sua multiplicação. Assim os australianos do noroeste situam, na Birdinapa Point, muitos centros de multiplicação de peixes, e é lá que, em uma determinada data, a cerimônia "ensina" à espécie como ela poderá vir a ser abundante. Um canto faz alusão à origem mítica da cerimônia.

Desse modo, a realidade geográfica encontra sua validação em uma "instituição" que a retira do "fundo obscuro", elemento primordial, "água primitiva", como admitem numerosos povos. Inversamente, o rochedo ou a fonte confirmam todo dia, com sua presença, essa "legitimação" original, essa "autorização" mítica sem a qual não seriam nada, e que os ritos devem, de tempos em tempos, repetir. O ciclo se encontra assim fechado, indo do mito fundador à realidade fundada, e da realidade visível a seus suportes invisíveis. É por isso que uma árvore ou uma vaga não podem nunca se tornar coisas ligadas ao homem por uma relação de conhecimento; são sempre seres que participam

12 R. F. Fortune, *The Sorceres of Dobu*, p. 98. Citado por L. Lévy-Bruhl, op. cit. p. 39.

afetiva e coletivamente, como manifestações de poder da vida esparsa em seu ambiente. Quando o mito se tornar simplesmente fábula e o patético literário prolongar as linhas da crença, os homens continuarão a ver nas árvores e nas vagas algo mais que "objetos". Mas em breve essa será a "morte do grande Pan", e não restará mais de suas presenças (brincadeiras das nereidas na superfície da água, vozes abafadas das dríades no tremular das folhas) que as danças ligeiras da bruma e da sombra no silêncio da floresta, ou o quebrar da vaga na praia. Contudo, por muito tempo ainda, para muitas imaginações, a solidão selvagem das florestas, os montes calvos e as charnecas servirão de refúgio para as "noites de Walpurgis", para os "sabás de feiticeiras" que a lenda preservará, com a secreta cumplicidade de nossa imaginação, do implacável nivelamento científico.

e. O espaço geográfico mítico não comporta qualquer ponto de referência objetivo, qualquer linha ideal ou convencional a partir da qual são medidas as distâncias e fixadas as direções. Porém, todos os pesquisadores estão de acordo em reconhecer nos primitivos, mesmo os mais crus, um sentido notável de orientação que age como um instinto e que lhes permite se movimentar sem hesitação na mata ou na floresta. A preocupação com o afastamento e a direção tem um papel importante em sua vida. Mas as diferenciações, as delimitações assinalam, como o próprio espaço, uma apreciação qualitativa em que nossas medidas e nossos cálculos, que operam sobre um espaço homogêneo, são substituídos por uma avaliação de forças, de potências, de diferenças concretas, por uma valorização hierarquizada das "partes" do espaço. Mesmo a amplidão e a altitude, que nós objetivamos sem pena, são vividas, sentidas, mais que avaliadas objetivamente. Uma alta montanha manifesta uma disposição de "dominar", uma presença solitária. Uma vasta planície é um vazio que se faz, um poder de amplificação; uma vocação de movimento ou um poder de desolação.

Contudo, esse espaço mítico não é a confusão total dos lugares, dos planos e das regiões. Ele comporta referências seguras, os centros de referência, os pontos de partida que não confundem. Essa estrutura não tem, bem entendido, nada a ver com as linhas e zonas da nossa geografia. Trata-se de uma estrutura mítica, pode-se dizer, qualitativa, em que se distingue os espaços "fortes" ou sagrados, e os espaços "fracos" ou quaisquer; os lugares marcados, santificados, árvores, rochedos, alagados, montanhas, e as regiões indiferentes, "profanas". Uma hierarquia de valores espaciais, uma organização a partir de um "centro" ao qual se retorna sempre, sobre o qual "são orientados". A experiência do sagrado é inseparável aqui de uma apreensão *estética*, como nos lembram os sentidos complexos das palavras *cosmos* e *mundus*[13].

Esse espaço flexível e demarcado já aparece nas vilas, em seu horizonte mítico e local. Ele se condensa nas casas e culturas, principalmente no altar, centro desse pequeno mundo e ponto de ancoragem do clã sobre a terra: lugar de reencontro dos ancestrais e dos vivos, do totem e de seus descendentes. Ao lado se encontra a cabana do clã; lá se encontra o "embasamento da pátria". Ao redor se repartem as cabanas e as plantações. Mas, muito longe, além dos espaços familiares, o horizonte se embaralha: lá se estende a região dos espíritos, a zona selvagem na qual é imprudente se aventurar. O país mítico não forma uma área contínua, porém "um conjunto heterogêneo de lugares animados pelos grupos humanos"[14] que o altar mantém unidos. O altar cimenta em um todo coerente o complexo topográfico. Por meio dele, totens e ancestrais governam o país e seus habitantes; lá se revela o mistério da via cósmica, se preparam as estações, os campos férteis e a fecundidade do rebanho, se perpetua a raça. Dele toda a geografia recebe sua estabilidade, sua unidade, sua vida. A disposição topográfica das habitações, das aleias e das praças nada mais fazem do que inscrever no solo a palavra mítica, renovada pelos ritos.

O "centro" mítico permaneceu profundamente gravado no solo, sobrevivendo ao declínio dos ritos e das crenças. Entre os povos mais evoluídos da Ásia e da Europa, ele perdeu amplitude, prestígio, mas atestará por muito tempo a importância que os homens atribuem a certos lugares privilegiados. O "centro do mundo" é muitas vezes uma montanha sagrada na qual se

13 *Cosmos* designa uma ordem, inseparável, para os gregos, da beleza. *Mundus* comporta o sentido implicado no adjetivo *mundus*, limpo, próprio, oposto a *immundus*, sujo, impuro (*immundus ager* é um campo mal cultivado), nos termos *mundare*, purificar, *mundatio*, purificação, *munditia*, propriedade. Correlação muito próxima do sentido diverso do grego *Kosmos*.

14 M. Leenhardt, op. cit., p.138.

encontram unidos, pelo mesmo eixo, o *axis mundi*, a "porta do Céu", o "umbigo da Terra" e a "entrada do inferno". Podemos citar alguns exemplos; entre os indianos, o "mundus", ou centro do mundo, é o monte Meru, acima do qual brilha a estrela polar; a montanha iraniana Haraberezaiti (Elbourz) é o meio da Terra; na Palestina, o monte Garizim é chamado de "umbigo do mundo", e o templo de Jerusalém foi construído sobre um rochedo que passa por ocultar a boca de *tehom*, onde bramiam as águas subterrâneas. Muitas vezes o centro do mundo é um santuário ou uma cidade santa. Babilônia é *Bab-ilani*, a "porta dos deuses", a porta do céu, e se localiza sobre *Bab-apsi*, a "porta de apsu", entrada para o mundo inferior onde reinam as forças ctonianas. Inútil falar aqui como certos lugares, a Acrópole, o Capitólio, Delfos, Délos, Olímpia, se estabeleceram a partir de santuários prestigiosos, com essa função de "centros", orientando e qualificando o espaço ao seu redor. É de lá que se estabelecem as distâncias, é para lá que afluem os peregrinos, os fiéis. Na Idade Média essa tradição continuará "orientando" as mesquitas e as igrejas para Meca ou Jerusalém e os centros da geografia mítica tornar-se-ão assim, por sua vez, focos e fatores da cultura.

A valorização mítica do espaço comanda as divisões geográficas. A fazenda germânica, lugar habitado e familiar, é encravada no pântano, nas charnecas e florestas onde reinam poderes perigosos. O neocaledoniano distingue uma natureza verdejante, fértil e fácil para os viventes e uma região (*contrée*) árida ou florestada, solidão onde as cavidades dos rochedos, os troncos ocos recebem o *bao*, o deus-cadáver; mais distantes, os picos em que as árvores apresentam formas curiosas, oferecem asilo para os deuses errantes e para os mortos anônimos[15]. Em todos os povos existem dois tipos de espaços, revelando duas cosmologias diferentes: um mundo circundante em que se manifesta a presença e o trabalho humano, regiões povoadas, terras cultivadas, rios navegáveis, mares frequentados, montanhas acessíveis; um mundo inquietante, extensão desértica, terra selvagem, mar desconhecido onde ninguém penetrou. Em plena civilização helênica, ainda que o gênio moderador dos gregos tenha reprimido a violência orgiástica dos cultos trácios, a Lacônia

15 Idem, p. 77.

possuía também seus lugares frequentados: sobre o monte Taygete, as bacantes ou *lemai* se entregavam aos arrebatamentos de sua loucura sagrada. Assim o *cosmos*, a ordem cósmica, o espaço humanizado, é uma terra "fundada", no duplo sentido de que foi criada, de que foi ordenada e ligada por poderes superiores, e que, por outro lado, se apoia sobre um arquétipo extraterrestre, sobre um fiador que existe num nível cósmico superior[16]. Assim o Tigre encontrou seu modelo na estrela Anunit e o Eufrates na estrela da Andorinha. Ao contrário, as solidões povoadas de monstros pertencem a um espaço indiferenciado, não fundado, essencialmente impuro e desordenado; seu modelo mítico é o *Chaos*. Essa cosmologia está particularmente bem delineada entre os bambaras. A Terra tornada cultura, além de alimentar os homens, também os produz, intermediada pelos tomates nativos ou *ngoyo*, assimilados ao sangue. Eles contêm o embrião em que *Faro*, princípio da chuva abundante e fecundante, se serve para transmitir às mulheres o poder gerador. Além se estende o domínio de *Mousso Koroni*, mestre turbulento da noite, da desordem e da feitiçaria. Nessa mitologia a Terra aparece como uma força desencadeada, como uma substância impura, que a magia do homem deve domesticar ou conter. O fato de se calçar sapatos deriva miticamente dessa impureza original. Cada golpe de enxada representa uma ferida feita na Terra, um ato de purificação. Devido a essa honraria prestada a *Faro* os campos cultivados escapam da impureza telúrica. Essa ideia de que a cultura repara as desordens do princípio da rebelião e da impureza parece pertencer a uma camada muito antiga de crenças. Mesma concepção de impureza da terra virgem encontramos entre os dogons[17]. Na mitologia órfica, vemos que os homens, nascidos das cinzas dos titãs, seres impuros, devem, antes de qualquer iniciação, se purificar desse elemento *titânico*, mal e sujo, para conservar apenas o elemento superior, *dionisíaco*. Essa alusão se torna clara se sabemos que os titãs são simplesmente os filhos de *Gaia*, a Terra.

Assim o culto aparece como o meio de proteger o espaço ordenado contra as incursões dos poderes demoníacos, "imundos". Do mesmo modo, esses cercados, mais mágicos que reais,

16 Cf. M. Eliade, *Le Mythe de l'eternel retour*, p. 21 e s.
17 G. Dieterlen, *Essai sur la religion bambara*, p. 18, 40, 53, 70.

protegem numerosas cidades[18]. Essa sebe e esse *no man's land* (terra de ninguém), em que os camponeses da Guiné francesa envolvem o bosque sagrado, conservado junto a cada aldeia.

Há outros princípios de determinação "regional" do espaço além da distinção de graus e de valores concernentes ao sagrado. Deteremos-nos em um dentre todos, tão importante quanto geral, que opõe o domínio feminino ao domínio masculino. Em um grande número de povos, a distinção aparece inscrita na paisagem e na disposição da aldeia. Existem aleias plantadas com árvores de "natureza" feminina, e aleias nas quais se encontram as essências masculinas. O elemento seco, a rocha, a madeira seca, a estação seca, formam o domínio masculino; o elemento úmido, as plantas aquáticas, as fontes, as chuvas são relacionadas com a feminilidade. Os dayaks de Bornéu associam a mulher da serpente d'água, manifestação do poder da água primitiva, com a Lua ligada, devido aos seus reflexos, ao domínio aquático, com a árvore da vida; o homem é associado ao rinoceronte, ao falcão e ao sol, pelos quais se manifesta o poder do mundo superior. Na Nova Caledônia, em que a oposição seco-úmido coincide com a oposição fêmea--macho, se servem, na abertura da estação seca, de dois tarôs, plantas femininas, para caçar a magia do Sol e produzir as nuvens e chuva[19]. Entre os trobrianos os homens têm papel preponderante na horticultura, que ocorre de maio a setembro, época em que os alísios do nordeste trazem a seca e o calor, enquanto as mulheres trabalham de dezembro a fevereiro, quando as moções do nordeste trazem o frescor e as chuvas[20]. Esses exemplos, que podem ser facilmente multiplicados, mostram

18 Esse parece ser o caso do famoso fosso legendário que Rômulo traçou em torno do futuro local onde seria construída Roma.

19 *Journal des Océanistes*, t. v, p. 29.

20 Idem, p. 28. Notar que os dois princípios masculino e feminino possuem valores bem diferentes. Ao primeiro, relacionado com o Sol, a rocha, os animais terrestres, são atribuídos a luz, o poder, a possessão; o segundo, aparentado ao mundo aquático e ctônico, comporta sempre algo de misterioso, como convém a um princípio da vida. Constatação que se aproxima de certas teorias modernas que veem na feminilidade aquilo que, por seu modo de ser, "escapa à luz", tende a "retirar-se", escapando assim da consciência; o feminino coloca em xeque o conhecimento e a possessão do homem, revelando assim uma realidade diferente que a do poder, que se realiza, não ao se exprimir, mas ao se reservar para tempos futuros. (E. Levinas, Le Temps et l'autre, em *Le Choix, le temps, l'existence*, p. 183 e s.)

que o homem primitivo projeta ao seu redor, nas formas que o cercam, essa noção de dois princípios opostos e complementares que ele experimenta em sua vida cotidiana, psíquica e social, em que a colaboração e o antagonismo condicionam a corrente de vida que anima e sustenta os seres. O conjunto desses fatos mostra claramente que, no espaço mítico, é seu próprio ser, sua alma, que o homem encontra frente a si mesmo, às árvores, aos animais, aos astros. Alguma coisa desse espaço sobrevive nos contos de fada, em que certas personagens, ogros, princesas, têm sua alma oculta em algum lugar, num canto da floresta, ou sob a forma de um peixe ou de um pássaro.

A Terra é, na geografia mítica, uma relação que, vista de nosso universo objetivado moderno, aparece como uma aderência total e absoluta: sonho e vertigem, indissociação; nela o homem se abandona e confia. O "animismo" que percebemos, não nos é de forma alguma desejado ou procurado: ele é espontâneo, como continua sendo para crianças pequenas, para quem o Sol, as árvores, as "coisas" estão vivas, que admitem espontaneamente que as coisas não "estão sempre lá", mas que vão e vêm segundo nos afastemos ou nos aproximemos. Essa geografia não pode separar-se de si mesma, porque o mito, sempre colocado sobre as coisas, para as fundar, é precisamente o que faz a realidade aparecer como realidade, e a realidade confirma a todo momento o "fundamento" mítico.

Será necessário, para romper esse círculo vicioso, que um choque abale os princípios "fundamentais" do mito fundador, que um "desencantamento", em seu sentido estrito, dissipe o "charme", que uma "palavra" venha reinterpretar a palavra do mito e a escrita da Terra, de maneira que essa "escrita" possa comportar uma leitura nova. É o que acontece quando o mito é destituído por uma *profecia* que dá à Terra um significado diferente, solidário a uma *História*. É também o caso quando a geografia mítica, aquela que, por essência, é representação coletiva, podemos dizer "genérica", inserida na comunidade da tradição, da raça e do sangue, é abalada por uma audácia individual, um ideal de aventura e de descoberta, enraizada no culto aos "heróis", aos "super-homens", antes de se realizar nas viagens e explorações que exigem energia, coragem e heroísmo, no sentido moderno do termo. Enfim o mito foi, de qualquer modo, incubado em uma outra "palavra", o *logos*, que, sob a forma de uma *dialética*, pelo jogo de perguntas e respostas à procura de um *sentido*, de um princípio, de um universo, submeterá a Terra às exigências de uma verdade certa, objetiva, universal. Essas três atitudes diferentes, que as circunstâncias da história misturarão às vezes, têm em comum uma certa distância tomada pelo homem em relação à Terra, uma certa libertação do homem relativa ao terrestre e, frequentemente, uma superioridade confessa ou implícita do homem sobre as realidades exteriores de seu entorno. É sobre esse processo de desagregação que devemos falar agora.

## A TERRA NA INTERPRETAÇÃO PROFÉTICA

As ligações do homem com a Terra foram perturbadas pelas grandes concepções proféticas. Podemos vê-las já na doutrina iraniana de Zoroastro em que a verdade sobre o mundo é dada como uma revelação que o Reformador recebeu para comunicar aos homens. Ahura Mazda é claramente apresentado como o *criador* do mundo: "Quem assegura a solidez da Terra e do espaço, para que eles não caiam? Quem é o autor das águas e das plantas? Quem provê de velocidade os ventos e as nuvens? Quem foi o benfeitor criador da luz e das trevas?". Dos antigos fundamentos religiosos persas subsistem, é verdade, as divindades, os *amesha spenta*, que presidem respectivamente às "regiões" da natureza: a pecuária, o fogo, os metais, a terra, a água, as plantas. Anahita, deidade da água e da fecundidade, guarda um caráter notadamente naturalista, como no hino que lhe foi consagrado: "Ela tem mil baias, mil afluentes, e cada uma de suas baias, cada um de seus afluentes demanda quarenta dias para ser percorrido em sua extensão por um bom cavaleiro, e a desembocadura de um desses curso d'água se espalha sobre todas as sete partes da Terra". Mas esses poderes são subordinados ao mestre do universo, Ahura Mazda. Quanto aos poderes maléficos, o inverno, a serpente, as trevas, os astros malignos, eles se degradam na lista dos demônios. Porém, sobretudo a cosmologia iraniana recebeu um sentido acentuadamente ético e escatológico. A terra, as águas, a vegetação, a pecuária fazem parte de um combate imenso que opõe no mundo inteiro o princípio do bem e o princípio do mal, até o triunfo final da luz sobre as trevas.

No entanto é no profetismo *bíblico* que se pode encontrar a interpretação mais bem delineada de uma história do mundo, a mais importante também, pois do povo hebreu ela se transmite ao judaísmo, ao cristianismo e, em certa medida, ao islã.

Em relação ao mundo mítico, a posição monoteísta e profética é uma revolução. As exigências internas da revelação bíblica destroem os quadros da experiência e da concepção míticas do mundo; ela quebra a ligação orgânica entre o homem e a Terra, esse laço que o homem, mesmo quando o atualiza como poder de nutrição e de proteção, encontra-se indistintamente no passado, voltando-se para os ancestrais de quem ele prolonga a existência, a partir da mãe e dos tios maternos, depositários e fiadores do fluxo vital que se encontra nele. Ela modifica profundamente ao preencher o significado da realidade terrestre apresentada ao homem; enfim, a hierarquia de valores é invertida, de tal maneira que é o homem que domina a Terra agora, não sendo mais uma simples forma passageira. A Terra, como realidade circundante, é destituída de seu papel original; ela não é mais experimentada como uma presença, e, a partir desse fato, perdeu sua "alma"; enfim, ela foi dessacralizada, pronta para uma concepção objetiva e material por parte do homem.

A Terra não é origem; ela não está no começo da vida e do Ser. Ela é uma obra, uma criação. Ela não é por si mesma mais que essa substância "informe e vazia" do Caos, "abismo" e "trevas"; espaço antes do espaço. Antes que uma "extensão" separe as coisas e faça aparecer o espaço, somente o "espírito de Deus se movia sobre as águas". Essa visão não tem o sentido de uma "história" do mundo, na acepção de um conhecimento do passado original; ela se projeta sobre o futuro, é *profética*. Ela entra em um desígnio do Criador, em uma História, pode se dizer na realização de um sentido colocado como fim. A Terra é feita para receber a grama, as árvores, "os grandes peixes e todos os animais", o homem, enfim. A Terra vem depois do Criador; ela está fora e abaixo dele. Ela existe, *tendo em vista*, qualquer coisa. Através dela algo deve ser abandonado.

A grande sublevação que ocorre na realidade geográfica, sob o efeito do profetismo, dos avisos, da promessa, é a temporalização da Terra e do espaço concreto. Os conceitos de criação, de encarnação, de apostolado, de anúncio da aproximação de uma nova era, a profecia relativa a "novos céus" e de uma "nova terra" alteram os rumos da Terra na direção temporal, que transpassa o ciclo do eterno retorno das estações, das vidas e dos séculos. Um "porvir" se coloca diante da Terra, como realidade atual, é feito de solo, de *pays*, de *Umwelt*, o lugar de uma história, de uma espera.

O homem não tem nada a esperar da Terra, por ela mesma. Não há nenhuma verdade essencial a ser retirada. Ele não é procedente da Terra. Ele foi formado "pelo pó da Terra", mas foi o "sopro de Deus" que o tornou um ser vivo. Ele "retornará ao pó" de onde foi tirado. Mas existe um outro destino determinado por Deus para ele. Ele é pó, mas na medida em que, precisamente, isso basta para a sua existência na Terra, onde ele se coloca em torno do desígnio que o fez "à imagem de Deus", o predestinando a uma vida futura. Na medida em que a Terra é tomada como um valor absoluto, em que é apartada da História da qual fazia parte, ela se torna opaca, vã e desesperadora.

> O sol se levanta, o sol se deita, apressando-se a voltar ao seu lugar e é lá que ele se levanta. O vento sopra em direção ao sul, gira para o norte, e girando e girando vai o vento em suas voltas. Todos os rios correm para o mar e, contudo, o mar nunca se enche: embora chegando ao fim do seu percurso, os rios continuam a correr. [...] O que foi, será, e o que se fez, se tornará a fazer: nada há de novo debaixo do sol!" (*Eclesiastes* 1, 5-9).

Esse mundo onde a Terra é a única preocupação e o único interesse, onde tudo vem e nada acontece, diremos em nosso tempo que é um "mundo absurdo", um mundo onde "tudo é vão", segundo a linguagem bíblica.

Contudo, essa mesma morada terrestre adquire outra feição quando vista através dos desígnios de Deus revelados aos crentes. Não há presença por si mesma, não há nada a dizer aos homens; ela não tem alma, não tem valor absoluto. Ela é somente aquilo através do que Deus está presente e se manifesta. Agora emerge a verdadeira beleza, a harmonia profunda da Terra, quando toda a criação canta a glória do Criador. "Que o céu se alegre! Que a terra exulte! Estronde o mar, e o que ele contém. Que o campo exulte, e o que nele existe! As árvores da selva gritem de alegria, diante de Iahweh" (*Salmos*, 96, 11-13). As colinas da Terra, as águas do mar, as florestas e as planícies não são mais que "presenças" ou "poderes". Não são "seres", não são também "coisas"; são "dons", sinais e testemunhos. Um simbolismo poético e musical se remete a quem sabe ver e entender, a quem escuta a Palavra pronunciada sobre o mundo, pela voz dos profetas e dos apóstolos, até no silêncio da noite e na solidão do deserto. Os lugares "marcados" pela ação de Jeová, o monte Sinai, o monte Sião, o Jordão, a "Terra Prometida" não possuem por si só virtudes mágicas ou valor sagrado. São somente o lugar de uma "história", de lugares onde se anunciou alguma coisa. Mas tudo na natureza circundante pode revelar o interesse que o Eterno tem por sua criação, transparecendo na magnificência dos fenômenos exteriores do poder de Deus; testemunhado no hino grandioso do salmo 104, 2-3: "envolto em luz como num manto, estendendo os céus como tenda, construindo sobre as águas tuas altas moradas; tomando as nuvens como teu carro, caminhando sobre as asas do vento". Nada de um panteísmo nessa glorificação; ao contrário, a Revelação se apresenta como uma afirmação vigorosa do monoteísmo, como uma purificação do espaço.

Em uma leitura do mundo exterior *segundo o tempo*, a Terra aparece como uma realidade temporária e, de algum modo, precária, fundada por uma vontade criadora, esclarecida a partir do futuro, colocada como uma preocupação, ultrapassada em sua duração provisória pela infinitude de Deus, limitada por uma outra espacialidade, que abrange a noção dos "céus" opostos à Terra. É nessa atmosfera da profecia bíblica que *terrestre* ganha seu significado, em oposição a *celeste*, realidade subtraída das dimensões e das limitações de todo tipo da espacialidade terrestre.

Ainda que as concepções objetivas e abstratas dos modernos a respeito do espaço não estejam também livres, podemos, contudo, considerar que o espaço, na interpretação profética, está pronto para um conhecimento desse tipo. Assistimos a uma verdadeira espacialização do espaço no sentido de que ele, desembaraçado de seus espessamentos míticos, visto como uma extensão, como um mundo estendido, é também alargado ao infinito, que toma sua unidade como elemento de unificação de todos os existentes, que vêm como símbolo da universalidade do mundo de Deus. Nesse universo que, de resto, permanece bem real, pela historicidade que ele comporta, os astros, as montanhas, os rios, os seres vivos, subordinados à soberania do homem, estão disponíveis para uma compreensão que os coloca em sua realidade subsistente e utilitária. Será suficiente, para que esse ponto de vista se imponha definitivamente, que a ideia de uma direção soberana pela Providência seja ofuscada diante da ideia de leis naturais, de uma *suficiência* e de uma *permanência* do desenvolvimento natural dos fenômenos.

Sob o efeito do monoteísmo profético, cessamos de "ver" em cada rocha, cada planta, em certos animais, seres sagrados. Essa "profanação", ou esse exorcismo, resulta de uma condenação, pronunciada em nome do "Deus verdadeiro", contra os ídolos, os demônios e os "falsos deuses"[21]. Toda sobrevivência do medo ou da veneração "aos Baals e às Astartes", poderes da germinação e da fecundidade, se tornarão doravante "idolatria" e superstição, e sabemos com que presteza o profeta Amós fustigou o culto idólatra de Jeová: "Eu transformarei vossas festas em luto e seus cantos em lamentações". A sentença de morte é pronunciada contra os sobreviventes da superstição. O apóstolo Paulo se dirigindo aos coríntios resume esse ponto do pensamento profético: "Não existem ídolos no mundo, existe um só Deus!" A pedra e a madeira, o astro e a fonte retornam a seu "fundo" obscuro onde são rejeitados, à margem da "Verdade", nas "trevas" do paganismo. Aquilo que as coisas do mundo exterior perdem ao passar a ser simplesmente "terrestres", ou seja, precárias e passageiras, é o homem que as ganha, sendo elevado acima da natureza e de sua própria "natureza" por sua vocação espiritual.

21 Assim o *Deuteronômio* prescreve a destruição dos lugares de culto dos cananeus: "Devereis destruir todos os lugares em que as nações que ireis conquistar tinham servido aos seus deuses, sobre os altos montes, sobre as colinas e sob toda árvore verdejante. Demolireis seus altares, despedaçareis suas estelas, queimareis seus postes sagrados e esmagareis os ídolos dos seus deuses, fazendo com que o nome deles desapareça de tal lugar" (12, 2-3).

Mas, por outro lado, ao tornar a vida humana um intervalo de tempo em que ele tem algo a fazer, refreando o gozo dos bens terrestres e a contemplação, a ética judaico-cristã, sem o procurar expressamente, lançou as inteligências e energias humanas num ascetismo do agir, na exploração, valorizando o conhecimento da Terra.

## A GEOGRAFIA HEROICA

Entendemos por geografia "heroica" aquela compreensão da Terra em que o espaço geográfico é considerado como um espaço a descobrir, apelo à aventura, ampliação da morada terrestre fixada pela tradição e pela vida em grupo. Ela abarca, de fato, dois aspectos bem diferentes: é obra do "herói", personagem meio fabuloso meio histórico, se produzindo na atmosfera da "fábula", em um mundo legendário em que se exaltam as virtudes viris, conquistadoras. Mas ela entra mais plenamente no horizonte de uma consciência histórica, quando essa geografia se torna "heroica" pelos riscos assumidos, pelo espírito corajoso e empreendedor. Essas duas formas de geografia heroica têm em comum representar, em oposição à geografia mítica que é sempre coletiva e tradicional, uma manifestação da iniciativa individual na qual o sujeito se arrisca pessoalmente, se evade do horizonte da tribo ou do clã para outro. Não sem levar consigo hábitos mentais e preconceitos adquiridos em seu "meio" de origem.

Essa nova maneira de compreender a realidade geográfica supõe um afastamento do poder dos mitos, uma diminuição do poder do clã sobre o indivíduo. No sentido inverso, ela manifesta uma inquietude orientada para outros valores, uma busca e libertação que vão agir sobre o mundo mítico e acelerar a sua decomposição. Ao clã, mantido coerente pelo mito totêmico e por uma preponderância de parentescos e de valores femininos como valores da vida, sucede um grupamento em que o elemento masculino e a ideia de poder serão prioritários: sociedade monarquista submetida ao patriarca, ao rei, ao chefe; sociedade aristocrática governada pelos *patres*, chefes de famílias nobres baseadas na filiação masculina.

As concepções do mundo se modificam no sentido de uma primeira consciência histórica, ainda superficial e confusa, mas indicativa de uma busca, da necessidade de uma explicação e de fundamentação temporal. O mito se transmuta em cosmogonia ou teogonia, em uma "história do mundo", que já está muito mais para lenda do que para o mito propriamente dito. Não foi por acaso que o costume nomeou essas narrativas de "mitologia". Encontramos, entre todos os povos, essas lendas ansiosas por estabelecer a ordem atual da Terra a partir de um passado "fabuloso". "Não havia nem besta, nem homem", diz uma lenda maia, "nem pássaro, nem lagosta, nem árvore, nem pedra; não havia cavernas, nem ravinas, nem florestas. Só o céu estava lá. A face da Terra não era visível; o mar, unicamente, se estendia sob o céu em todo seu espaço [...] Tudo era silêncio e imobilidade, nas trevas da noite"[22].

O homem, incapaz de conceber um não ser absoluto, coloca "no início" uma matéria bruta, uma extensão líquida (as "águas primordiais"), sem dimensões, nem horizontes (as "trevas"), sem vida (silêncio e imobilidade); é sobre esse espaço anterior ao espaço que o poder criativo erige um mundo, construção progressiva e hierarquizada, atribuindo a cada ser seu lugar e sua função. A mitologia egípcia de Heliópolis conta como, do seio de um oceano tenebroso, emerge o primeiro ser, Atum, inundando com sua luz solar a imensidão, como ele dará nascimento aos deuses e aos elementos, como ele separará o sol da abóbada celeste. Na tradição menfita, mais espiritualista, o deus todo poderoso Ptah tira do caos, com sua "palavra", exteriorizando o movimento interior de pensamento, todos os seres e deuses do mundo. As lendas babilônicas falam do tempo, *antes do tempo*, em que o deus luminoso Marduk caça as divindades caóticas, como Tiamat. Essas lendas fazem de cada nascer do sol uma nova vitória do espírito da luz sobre a noite e o caos. Essas "gêneses" que são obras dos doutores e dos

22 Comparar à versão das origens do mundo dada, na mitologia nórdica, pelo poema *Volospa*:

> Era uma vez o tempo onde Ymir vivia:
> Não havia nem mar, nem as frescas vagas, nem areia;
> A terra não existia, nem o céu, no alto;
> Não havia mais que um vazio estupefato e a erva em lugar nenhum.

Citado por Christhopher Henry Dawson, *The Making of Europe*, p. 255, n. 1.

sacerdotes deixam entrever o surgimento de uma historização, destinada a legitimar, a seguir um culto ou o poder político de algum soberano ou de alguma cidade, a "fundar" sobre essa "autorização", no sentido pleno do termo, sua autoridade. O mundo começa a se colocar em movimento a partir dessa fundação, a tomar um certo sentido, mas contendo essa reserva que lhe é passada, contendo já em germe o que lhe sucede e que só pode ser repetido. O futuro não traz nada de essencial e se manifesta, muitas vezes, por uma regressão, uma decadência que é um tipo de aviltamento do movimento histórico.

Ao mesmo tempo, esse primeiro despertar de uma consciência histórica, ainda enredada, é verdade, em uma quantidade de concepções mágico-míticas, manifesta um interesse inicial pela Terra como realidade geográfica, uma inquietude sobre o espaço a percorrer e a explorar, uma primeira geografia da aventura, da viagem como exploração e proeza. A lenda se torna, por sua vez, a resposta a esse interesse novo do ouvinte ou do leitor pelo homem envolvido com certas realidades geográficas e modo de exaltação do "herói": ela toma diversas formas, desde o poema épico, *Odisseia* ou *Eneida*, até as *sagas* nórdicas, passando pelos contos irlandeses, os romances de cavalaria do ciclo bretão, as lendas germânicas. O herói se bate contra as forças obscuras do mundo exterior, como Héracles lutando contra o desencadeamento das trovoadas, das tempestades, das águas em fúria.

Uma geografia já quase consciente forma o pano de fundo da *Odisseia*, mas ela se mistura com o maravilhoso. O mundo dos poemas homéricos está totalmente impregnado da concepção mágico-mítica: não encontramos diferenças marcantes entre o homem e o mundo circundante; os poderes apresentados pelo mar ou pelo rochedo cruzam o caminho das empreitadas humanas. O tema da navegação nos argonautas não é somente digno de interesse devido ao eco, deformado pela lenda, que podemos ouvir das viagens e das migrações historicamente verossímeis. É necessário correlacioná-lo a uma curiosidade nova pelos rincões distantes e pelas aventuras marítimas; a energia humana triunfa sobre o medo e sobre os obstáculos provenientes das realidades geográficas e das forças misteriosas que as movem. Porém é característico da mentalidade da era legendária que essas viagens dependam de um *hybris*, de uma desmesura, e que, ultrapassado o horizonte assinalado ao homem pelo seu destino, elas provoquem uma *nêmesis*, o "ciúme dos deuses" que se vingam através de provações e de recuperações da fortuna. O elemento dramático da lenda e da epopeia reside nessas resistências de um mundo mágico-mítico opondo todas as incertezas do desconhecido à audácia pessoal do herói. É assim também no "crepúsculo dos deuses", doravante impotentes para barrar o acesso das personalidades curiosas e aventureiras. A nêmesis, entre os gregos, tem todos os traços de um poder ctoniano[23]. Se bem que Prometeu, em Ésquilo, coloca um outro problema: ele representa ainda, apesar do espírito de revolta, o instrumento de uma libertação do homem em relação ao mundo circundante; ao trazer o dom do fogo aos homens, ao ensiná-los a construir as casas, a distinguir as estações do ano, a observar os astros, a arte de fabricar carroças, de trabalhar a terra, de armar navios, de trabalhar os metais, ele fornece aos homens os meios de melhorar sua condição terrestre. Procedente dessa estirpe de deuses que representam as forças da natureza, ele encarna, ao menos em Ésquilo, a conquista da liberdade humana sobre os elementos, sobre a Terra, que se coloca contra a ordem estabelecida pelos deuses. A dominação da Terra se efetua como uma revolta, e é para nós o fato capital.

É sobre a forma de narrativas de viagens que se manifesta o gosto pela liberdade e pela aventura no mundo legendário. O tema do chefe errante em busca de algum objeto mágico ou excepcional, Jasão à procura do velocino de ouro; Cuchulainn, o herói celta penetrando, escoltado por monstros, os confins do mundo, povoado por forças demoníacas; viagens do herói irlandês Mael-Duin que, após ser abrigado pelos druidas para construir e lançar um navio, fundeia nas ilhas mais extraordinárias; *sagas* escandinavas nas quais abundam aventureiros correndo mundo. O elemento geográfico se amplia nesse momento, notadamente no poema *Volospa*, em uma filosofia da natureza. As narrativas de viagem escandinavas, como *Edda*, e as *sagas* islandesas da primeira era nascem em uma atmosfera

23 J. Coman, *L'Idée de la Némésis chez Eschyle*, p. 29-33.

francamente legendária, mas para abordar, nas últimas narrativas, as margens da história. A idade dos "heróis" vikings, da estirpe de Egil Skalgrimsson e de Olaf Trygvansson, é sucedida pela dos exploradores que colonizam e Groenlândia e atingem terras mais ao oeste. Do mesmo modo as navegações legendárias de Ulisses ou de Jasão precedem as expedições históricas de Hannon ou de Pítias.

A geografia propriamente legendária, com seu modelo de herói aventureiro, corresponde ao ideal de uma sociedade *aristocrática*. Sobre o fundo de um mundo que se limita ao conjunto fixado pelo horizonte natal do clã, se destaca o "bem nascido", o *nobre*, o chefe, que tem um destino excepcional voltado à audácia e à aventura. A curiosidade, com sua contrapartida de riscos e desenganos, só se justifica como sinal de uma força e um caráter que elevam o herói acima do homem comum. Acontece frequentemente que esse aventureiro de alta estirpe tenha o papel de herói *fundador* como Hagnon para Anfípolis ou Protis para Massália; audaciosos em seu projeto e envolvendo, com sua audácia, seus companheiros de exílio, mas respeitosos da tradição, em sua preocupação de legitimar essa novidade de uma "fundação".

Essa geografia permanece também a serviço das representações mágico-míticas. Além de falar dos combates contra os monstros, hidras, serpentes, dragões, manifestações do poder cósmico, é necessário lembrar aqui que certos temas geográficos, legados pelo mundo mítico, continuam a frequentar a imaginação geográfica, aquela dos próprios aventureiros, dos narradores e dos ouvintes. Seja estimulando o interesse dos viajantes, seja, ao contrário, freando a exploração, esses relatos determinam, em grande medida, a história da geografia.

Não existe povo que não tenha admitido um "país da alma", um "outro mundo" a se procurar além do horizonte, e contudo terrestre. Logo carregado de valores numinosos positivos como "paraíso terrestre", logo aberto às forças do mal e, como tal, afligido por proibições. Positivo ou negativo, mas sempre constitutivo da ordem do mundo, esse país da alma muda de valor ou de amplitude segundo os povos. Entre as nações do Norte se opõe o *mitgard*, região habitada, e o *utgard*, terra do *exterior*, charneca, pântano, montanha. Nas regiões do Midi [a região sul da França], é o mistério da estepe e do deserto. Os povos marítimos situam, para além dos mares, as terras maravilhosas ou perigosas, morada dos bem-aventurados ou dos demônios. Os insulares das Trobriand localizam na ilha de Tuma um verdadeiro país da libertinagem, ao mesmo tempo, mundo dos mortos onde vivem na abundância os espíritos ancestrais, e reservatório de vida de onde, periodicamente rejuvenescidos, eles partem para reencarnar. A mesma concepção ocorre na Nova Zelândia, na Nova Guiné, em Fiji, nas Salomão, onde se acredita que os ancestrais deificados se retiram para as terras que ninguém jamais viu. As "ilhas afortunadas" ou "ilhas dos bem-aventurados", entre os celtas da Irlanda, ou de Armorica entre os escandinavos, estão localizadas no Ocidente, de acordo com a desaparição do sol, com a ideia da morte e da regeneração pelas águas marinhas. A lenda das ilhas afortunadas atravessou a Idade Média e sobreviveu no Renascimento, encantando os homens com a sedução secreta pelo mistério e pelo ilimitado, essa "lacuna" do espírito sempre pronto a sacudir os grilhões do universo lógico e do mundo real. Evasão para o imaginário e o quimérico à maneira da *Utopia* de Thomas Morus, ou das *Viagens Imaginárias*, de Swift, que mostra um século XVIII muito apaixonado. A impaciência moderna de "partir", de fugir da banalidade cotidiana para qualquer país de sonhos, de cruzeiro ou de férias.

Essas lendas estão frequentemente mescladas à história das descobertas geográficas, predispondo os navegadores a "descobrir" aquilo que procuram, a partir da fé em documentos cartográficos, e a acolher as configurações geográficas das mais fantásticas. As cartas do século XV assinalam ilhas lendárias, tais como a *Antilia*, o *Brasil*, cujos nomes acabaram por encontrar uma alocação geográfica positiva, ou ainda "ilha das delícias", "ilha do paraíso": no século XVI os navegadores portugueses acreditavam na existência das "ilhas encantadas", ao largo de Cabo Verde, que por um ato de magia se tornavam invisíveis por algum tempo. Essas crenças, compartilhadas por um grande número de pessoas, explicam o sucesso de uma das mais célebres fraudes literárias: o *Livro das Maravilhas do Mundo*, que foi lançado em Paris, em 1480, por um médico e astrólogo de Liége, deve grande parte de seu sucesso ao fato de que os dados positivos são usurpados por uma infinidade de detalhes fantasiosos que eram tomados como verdade: na costa da Líbia, o mar era mais alto do que a costa sem a invadir; nas terras meridionais, o calor fazia a água entrar em ebulição; depois de mencionar a "Terra das mulheres onde só existem mulheres", após ter atravessado a "província das Trevas", perto de "Catai", o viajante relata aquilo que ouviu dizer do "paraíso terrestre", cercado por uma muralha de musgo, que possui uma única entrada, "que é fechada por um fogo ardente"; e é desse paraíso terrestre que descem os quatro grandes rios do mundo. Essa estranha e romanesca narrativa, em que se misturam os empréstimos a Marco Polo, as relações dos viajantes ocidentais dos séculos XIII e XVI, a narrativa de um príncipe armênio, Hetun, e diversos escritos fantasiosos que se originam na Idade Média, não é conveniente somente por nos mostrar como era a imagem da Terra no momento em que se iniciam as grandes expedições marítimas, de nos fornecer um quadro completo das fábulas geográficas que deleitavam a Idade Média em seu fim (homens que cobrem os corpos com suas orelhas, pernetas que fazem sombra com seu único pé, etíopes em cavalos brancos quando são crianças, negros como carvão quando ficam velhos etc.). Ela nos mostra em que mundo, crédulo e ávido do maravilhoso, se produziu a grande revolução geográfica que, de 1480 a 1530, colocou os ocidentais nas extremidades do planeta. Compreendemos que, nesse tempo em que a noção de uma natureza obediente a leis invariáveis e demonstradas pela razão ainda não fora adquirida, a visão do mundo exterior continuava prisioneira de crenças em forças demoníacas e mágicas, às metamorfoses e aos contos de fadas[24]. Os próprios grandes navegadores misturaram bem a ficção e a realidade: Cristóvão Colombo via no Orenoco um dos quatro grandes rios nascidos no paraíso terrestre, e Américo Vespúcio tomou por dragões os crocodilos, encontrados, na América Central, nos terreiros das aldeias indígenas. Não podemos suprimir da história dos descobrimentos essa exploração maravilhada da Terra, em que o fantástico e o prodigioso penetram a imaginação e a vontade dos homens de se lançar por novas rotas

24 Cf. L. Febvre, *Le Problème de l'incroyance au XVI siècle.*

marítimas. Não podemos, sem deformar essa epopeia vivida, e sob o pretexto da objetividade racional, abstrair esses "delírios geográficos" de que se fala a propósito de Colombo[25]. Isso envolve a imaginação para além das realidades positivas, que foi, sem nenhuma dúvida, um dos móveis da descoberta geográfica e que, temperada por uma civilização humanista e pelas tradições literárias, suscitou nas classes cultas do século XVIII o gosto pelas viagens e pelo exotismo. Assim se prepara o surgimento de uma consciência geográfica, no sentido atual do termo. Inversamente, a descoberta de tantos mares e terras novas, desse sobrenatural de algum modo natural, que emana da beleza ou do exotismo de certos aspectos novos da Terra, de uma humanidade muito diferente das sociedades ocidentais, renovou a sensibilidade e a imaginação e aguçou a curiosidade; com o sentimento da natureza, ela contribuiu para o nascimento do desejo de revelar os mistérios e enigmas das últimas terras desconhecidas, de lançar as bases de uma geografia natural, ou seja, científica.

## A GEOGRAFIA DAS VELAS DESFRALDADAS[26]

Geografia "das velas desfraldadas", expressão de Lucien Febvre. Ela se opõe, numa formulação bem sucedida, à "geografia de gabinete" ou de laboratório, aquela dos cientistas trabalhando com documentos, cartas, fotografias, estatísticas, relatórios de viagens. Ela é também um capítulo da geografia heroica, o heroísmo aqui sendo o risco assumido, a coragem de planejar uma empreitada e executá-la, a determinação das individualidades fortes, algumas vezes com fim trágico, como nos casos de Magalhães ou de Lapérouse. Ela cobre grandes períodos da história universal, desde Pítias explorando, por volta de 340 a.C., além do mar do Norte, as paragens da longínqua Tule onde "não subsiste nem terra, nem mar, nem ar, mas um composto desses três elementos, alguma coisa como o pulmão do mar", até os grandes exploradores do século XIX,

25 C. Pereyra, *La Conquête des routes océaniques d'Henri le Navigateur à Magellan*, p.129.
26 No original "La Géographie de plein vent" (N. da T.).

Stanley, Livingstone, René Caillié, Nachtigal, aos pioneiros das regiões polares, Nansen, Nordenskold, Charcot, Peary, passando pelos viajantes da Idade Média, Marco Polo, Cathala de Séverac, aos "grandes navegadores" dos séculos XV e XVI, e os do século XVIII, Cook, Bougainville, Wallis.

Essa história grandiosa é bem conhecida, não precisamos recontá-la. Foi escrita pelos homens, à custa de grandes sacrifícios, de sofrimentos enfrentados com energia, de muito sangue também, antes de passar para os livros. Espírito de aventura, inquietude por conhecer novos espaços e novidades, alegria de ser o primeiro a penetrar em um território inacessível, de ser o primeiro a pisar um solo virgem[27], de decifrar um segredo, como do caminho das Índias ou das nascentes do Nilo. As preocupações políticas e mercantis não são a única explicação desse frenesi por descobrir, ainda que sua ação tenha sido decisiva para a pesquisa e a descoberta. Pode se falar aqui de uma *poética* do descobrimento geográfico, no sentido de que foi a realização de uma visão que abarcava a totalidade do mundo e de que foi uma criação, criação de espaço, abertura para o mundo de uma extensão do homem, ímpeto por um porvir e fundação de uma nova relação entre o homem e a Terra.

Ninguém encarna melhor essa poética do espaço terrestre do que Cristóvão Colombo, visionário e "poeta do espaço", assim o chama o historiador Pereyra, antes de colocar sua visão em ato. Os móveis mercantis e políticos, mesmo a preocupação com sua glória pessoal, são dominadas pela vontade e poder da sua imaginação. O Colombo fervorosamente inclinado sobre o *Imago mundi*, de Pierre d'Ailly, cobrindo-o de notas e escrevendo esta menção reveladora: "a Terra inteira é uma ilha", precedeu e guiou Colombo que parte, em 3 de agosto de 1492, do porto de Palos, com as cartas ao imperador da China em seus cofres.

27 Saint-Exupèry (*Terre des hommes* [Terra dos Homens], p. 71) expressou com ênfase este sentimento em uma passagem onde ele relata sua aterrissagem em um platô intocado por qualquer presença humana: "Eu caminhava sobre uma areia infinitamente virgem. Fui o primeiro a fazê-la escorrer de uma mão a outra, como ouro precioso, essa poeira de conchas. O primeiro a quebrar o silêncio. Sobre essa espécie de banquisa polar que, por toda a eternidade, não formou um único tufo de erva, eu era como uma semente trazida pelo vento, o primeiro testemunho da vida".

Um mês depois, as três frágeis caravelas, deixando para trás as ilhas Canárias, deixando Cabo Verde a oeste, empurradas para o desconhecido pelo sonho insano de um temerário, por um erro de interpretação, que se revelará fecundo e essencial para traçar a rota da descoberta de um "novo mundo". Herói e poeta, ele se dirigiu para "esse poder secreto que o eleva acima de suas deficiências de conhecimento, de suas loucuras de místico alucinado, de sua dureza de usurário e de suas faltas contra a caridade"[28]. Ele se orientou para essa exaltação espontânea com que participa da natureza, no entusiasmo do primeiro encontro, exaltação contida em sua expressão, como mostra esta simples nota descrevendo a ilha de Guanahaní, termo de sua primeira viagem: "essa ilha é bem grande e plana, com árvores muito verdes e muitos regatos, no meio um lago muito grande sem nenhuma montanha e tão verde que dá prazer de contemplar". A partir daí a exploração de Cristóvão Colombo está no limiar da lenda e da história; da lenda como exaltação do heroísmo dos seres de exceção contra uma natureza ainda impregnada de magia, e da história como compreensão humanista do homem realizando seu destino frente a uma natureza.

A cegueira geográfica é muito obstinada no grande navegador, tão dominado pelo esclarecimento de seu próprio mito que, contra toda a razão, declara e continua a declarar asiáticos os fragmentos de um novo continente, apesar dos desmentidos que lhe infligem suas sucessivas viagens, a tomar Cuba por Cipango, a situar a América Central, durante sua quarta viagem, "a dez dias do Ganges", a procurar os indícios do paraíso terrestre.

Tanto é verdade que Colombo, no limiar dos tempos modernos, ainda está imbuído pela cosmografia medieval, atardado a uma imagem da Terra há muito ultrapassada por certos espíritos. Os exploradores não somente prolongaram, em pleno período histórico e humanista, a geografia lendária. Eles contribuíram também para a formação de novas lendas como a do *Eldorado* e de *Atlântida*.

Contudo, de bom grado ou de mal grado, as explorações tão brilhantemente realizadas no século XVI e a seguir, transfor-

28 C. Pereyra, op. cit., p. 160.

maram a imagem que os homens tinham da Terra, alargando o espaço geográfico, enriquecendo o repertório de imagens da Terra e das civilizações humanas, pela dissipação progressiva dos temas lendários em benefício de uma consciência geográfica mais segura. Do "sobrenatural", do maravilhamento, para a natureza geográfica. Pedro Arias descreveu, em 1515, a região de Cartagena, na América Central, como uma "terra do Eliseu", subtraída dos rigores do inverno e dos ardores do verão, provendo de mandioca e de iúca àqueles indígenas, que viviam em uma nudez paradisíaca, fabricando seu pão, assim como as batatas, "mais suaves que os cogumelos", e o milho. Encantamento dos franceses do século XVII diante dos panoramas e da flora generosa da ilha de Bourbon, alcunhada por Henri Duquesne de "ilha do Éden". Relação entusiasta de La Condamine, enviado pela Academia de Ciências, em 1743, para medir o arco do meridiano terrestre no equador. Descendo, em uma simples jangada, o Amazonas, se abandonando à sedução desses territórios selvagens:

> Estava em meio aos selvagens. Eu me esquecia entre eles de ter vivido com os homens. Gozava pela primeira vez de uma doce tranquilidade. O silêncio que reinava nessa solidão me tornava mais amável. Um número prodigioso de flores desconhecidas me oferecia um espetáculo novo e variado. Eu estava iluminado por madeira perfumada e por resinas odoríferas. A areia sobre a qual andei era de ouro.

Confissão mais significativa por proceder de um "homem de ciência", em missão científica, mas conquistado por uma natureza inteiramente diversa dos horizontes europeus. E, sobretudo, esta confissão reveladora: "Eu me esquecia entre eles de ter vivido com os homens". Confissão que podemos encontrar com variações em outros escritos. Descoberta simultânea da Terra como natureza, como exuberância de vida e beleza de formas, e de sociedades humanas profundamente diferentes das do "velho mundo". Convém ressaltar aqui que no século XVIII, de onde surgirá a primeira geografia científica, existe uma geografia sentimental e emotiva que, amplificada pela imaginação, tende para a expressão literária. A geografia como experiência afetiva e desfrute estético torna-se uma expressão do homem, com Bernardin de Saint-Pierre, com Rousseau, precedendo Chateaubriand. Ferido pela sociedade, decepcionado com a condescendência moral do século, o homem se volta para a natureza, para o exotismo, para encontrar uma resposta a suas inquietações, um complemento para sua incompletude. Porém, essa natureza exterior, próxima ou distante, ele a procura e a vê através da afetividade: prazer da solidão, sentimento de melancolia e de mistério, religiosidade à flor da pele. Nesse sentido, a geografia como "oxigênio da alma", é uma das formas de humanismo.

Ela é humanista, ainda, de outra maneira, no sentido de que é, também, o homem que procura os navegantes e os escritores através da realidade geográfica, o homem como centro de interesse e ocasião de uma renovação de ideias. La Pérouse via nas explorações um meio de conhecer os homens. Visitando, em 1786, a ilha de Mowéa, nas Sandwich, foi conquistado pelo acolhimento dos insulares e pela simplicidade de suas vidas. Ele anota: "Os navegantes modernos têm por objeto descrever os costumes dos novos povos e de completar a história do homem". Encontrar novos pontos de vista para ampliar e suplementar a historicidade do homem. Integrar a sua própria visão de mundo às concepções tão singulares e tão diversas das outras sociedades, é responder ao interesse pela humanidade do homem, prolongar o humanismo. Muitas ilusões se misturam à admiração dos ocidentais em relação aos povos encontrados ao acaso nas navegações. Diante do humor pacífico e acolhedor dos taitianos "nascidos sob o mais belo céu, alimentados pelos frutos de uma terra fecunda mesmo sendo inculta", um companheiro de Bougainville mal contém seu entusiasmo: "É o único recanto da Terra onde habitam homens sem vícios, sem preconceitos, sem pobreza, sem dissensões". Mas essas ilusões são notáveis, pois entram na óptica própria desse século que recebeu com complacência a lenda do "bom selvagem" ou do "sábio Huron", e acolheu as narrativas de viagem reais ou imaginárias com a mesma avidez que lia com paixão *Robinson Crusoé* e com ternura *Paulo e Virgínia*.

O século XVIII se completa, com Jean-Jacques, numa exaltação sincera da realidade natural, do nascer do sol, das grandes florestas silenciosas, das paisagens alpestres. Essa estética serviu à causa da compreensão geográfica da Terra: ela anuncia, chama. Ela ainda comete muitos erros: se extravia com Bernardin de Saint-Pierre em suas inépcias, como no relato do fluxo e do refluxo dos gelos polares. Mas habituou os homens a observar as realidades do mundo circundante, a contemplar as cores de um céu tropical e a ouvir os silvos da tempestade. Incitou o homem a "sair", a deixar os salões e as ruas, para se arrojar além dos arrabaldes, para desenhar parques "à inglesa", para viver "ao ar livre" e, nesse "retorno à natureza", renovar sua sensibilidade, revigorar sua energia, para melhor compreender sua condição terrestre.

## A GEOGRAFIA CIENTÍFICA

A geografia científica estava em gestação no movimento dos descobrimentos. Para que tal concepção se desenvolva é necessário que a pesquisa e a afirmação de uma ordem lógica predominem, submetidas a leis invariáveis e universalmente válidas. Mas, para que se liberte essa atitude científica frente à realidade geográfica, é necessário que a vontade, o entusiasmo, enfraqueça e se faça um repouso, uma pausa antes do retorno à experiência, à reflexão, à análise. A geografia científica é também, num certo sentido, oposta à realidade geográfica que exige o esforço da vontade, o gosto pelo risco, uma certa abertura para a alegria ou para o prazer da novidade a ser desvelada. Geografia "das velas desfraldadas" e geografia de laboratório são, em conjunto, momentos distintos, o segundo exigindo uma frenagem na impaciência por descobrir, uma existência menos engajada em seu projeto, um recuo diante do "objeto" geográfico.

Porém essa geografia científica foi gestada de longa data, desde a época em que predominava em toda parte a concepção mítica do mundo, em meio a viagens lendárias ou interpretadas através da lenda, a favor das explorações e dos reconhecimentos de todos os séculos. A história da formação dessa ciência escapa ao nosso propósito. O que temos em vista é a maneira como desperta uma consciência da realidade geográfica como conhecimento e sobre quais "objetos" ela se apoia.

Houve, além de toda preocupação verdadeiramente "científica", uma geografia empírica nascida das necessidades políticas ou mercantis, a geografia das rotas marítimas entre os fenícios, os árabes, a Liga Hanseática, a das rotas continentais do império persa ou do império romano. Para as necessidades estratégicas, administrativas ou comerciais, são endereçados os mapas; e também os inventários de recursos e de povos. Uma "política" geográfica consolidou a obra dos conquistadores e dos pioneiros.

No entanto, o nascimento de uma ciência da Terra exige uma outra intenção além de se pesquisar as bases das trocas comerciais e da política. É necessário que os homens se surpreendam com os fatos com que se deparam, que ultrapassem esses fatos como simples existentes. É necessário que a dúvida nasça em seu espírito a respeito das lendas e dos mitos que os justificam, através da dúvida que os submete à crítica; que eles aprendam a distinguir o que está em seu poder e o que depende de outra realidade, e obedece às leis naturais. Os gregos aplicaram à realidade geográfica a descoberta de leis invariáveis, o sentido, já claro em Heráclito, de uma ordem universal que "sempre existiu, existe e sempre existirá". É essa preocupação que, com tentativas e eclipses, foi transmitida aos modernos, e suscitou uma "ciência da Terra", antes mesmo que se pudesse falar, no sentido rigoroso do termo, em "geografia científica".

Contudo, convém distinguir duas atitudes diferentes sob o olhar dessa objetivação da geografia. Houve uma *ciência da descoberta*, uma exploração metódica, para recolher imagens, observações, para verificar as hipóteses. A partir do século XVIII aparece uma geografia do *inventário*, uma geografia trabalhando no laboratório, registrando seus conhecimentos nas estatísticas, nos gráficos, ou nas cartas cientificamente precisas.

O móvel dessa descoberta é, em geral, a curiosidade, o gosto pelo pitoresco, pelo novo. Desde a antiguidade os homens passeiam pelo mundo com um espírito curioso: Alexandre, o Grande, ou o imperador Adriano, os primeiros "turistas", percorrendo seus impérios pelo prazer de vê-los. Mas uma verdadeira curiosidade "científica", preocupada em classificar, comparar e mesmo em explicar, se encontra em Heródoto, a quem se atribui, com uma concordância significativa, ao mesmo tempo, o título de "pai da história" e, também, da etnografia e da geografia. Com ele nasceu a geografia descritiva, alimentada ao longo de suas numerosas viagens de pesquisa; lhe ocorre, sem dúvida, falha desculpável nesses primeiros balbucios de uma ciência nascente, de atribuir o clima tórrido da Índia ao fato de que o sol, no levante, está mais próximo da terra do que em qualquer outro país, ou de acreditar que os ventos afetam o curso do sol. No entanto ele prova possuir uma verdadeira inteligência geográfica quando admite a ação do clima sobre as raças humanas, dos aluviões para a formação dos deltas, do Nilo sobre a vida do Egito. Ciência ainda movida pela alegria de descobrir, de multiplicar as observações antropológicas e etnográficas. Uma verdadeira escola de geógrafos, a partir das obras dos jônicos, começa a esclarecer problemas científicos com os alexandrinos, sobretudo com Eratóstenes e Ptolomeu, que representam os pontos culminantes da ciência geográfica na Antiguidade. Forma culta do interesse pelas realidades geográficas da qual os poemas de Homero já eram um testemunho. Resposta a uma oportunidade histórica excepcional: a imensidão do mundo conhecido e percorrido, estendida para além da Índia até o Oceano e o mar do Norte. Uma outra circunstância excepcional se produzirá na Idade Média quando os geógrafos árabes alargariam o campo de investigação para a África central e para o centro da Ásia. Mas existe também uma fraqueza. As ciências bárbaras, que sobreviveram à queda do Império Romano, fizeram recuar a curiosidade científica, já vacilante entre os romanos, restringindo ao extremo o horizonte marítimo e continental do Ocidente. Nova decadência com a conquista otomana que fecha para o Mediterrâneo as rotas para a Ásia. Mesmo no seio do mundo grego, essa ciência não estava ao abrigo dessas regressões, motivo pelo qual Estrabão e Diodoro não foram capazes de compreender plenamente a ciência de Eratóstenes.

Para que a ciência encontre enfim seus alicerces inabaláveis, será necessário que o espírito científico, ao longo dos séculos XVII e XVIII, adquira mais disciplina e rigor, a exemplo da matemática e da astronomia, fundando uma física, subordinando todo o conhecimento válido ao controle da medição, da explicação causal, da previsão. Naturalmente a geografia da descoberta e da pesquisa não desapareceu. Humboldt, fundador da geografia propriamente científica, foi um grande viajante, que visitou a América central e meridional, a Ásia russa. Mesmo o século XIX é, por excelência, o século dos exploradores. Mas a maior parte dessas viagens tem a característica de serem expedições científicas. Livingstone parte para a descoberta das nascentes do Nilo, Nachtigall para revelar o segredo da África central, Hayden e Powell para reconhecer as Rochosas, e Nordenskjold, a "passagem do noroeste". Mais marcante ainda o caso do cruzeiro do *Challenger* inaugurando, em 1873, as expedições com objetivos puramente científicos. Desde então as expedições dessa natureza se multiplicaram: oceânicas, continentais, polares.

A novidade dessas viagens é que aqui a descoberta é precedida e englobada pela ciência. É o geógrafo, como homem de ciência, que fixa o objetivo a atingir, que frequentemente traça os limites e os itinerários. A geografia de "velas desfraldadas" se coloca a serviço do laboratório e do instituto de pesquisa para executar o inventário dos fatos geográficos. A preocupação em fazer o inventário dos fatos geográficos se manifesta nas grandes obras de síntese da geografia contemporânea: de Karl Ritter (1817-1818), de Élisée Reclus, de Édouard Suess. Com a criação dos organismos geográficos para a pesquisa e o ensino, com as grandes revistas especializadas, a coordenação dos trabalhos dá aos inventários uma forma cada vez mais precisa, sob a forma de cartas orográficas, batimétricas, climatológicas, botânicas, de estatísticas, de fotografias, de planos em relevo etc. A geografia tende a se tornar sedentária, reunindo-se ao geólogo, ao botânico, ao zoólogo, em uma atividade cada vez mais intelectual e técnica.

No entanto, mesmo nessa atitude estritamente científica, a geografia conserva, dentre as outras ciências, uma originalidade própria. Irredutível a uma pura e simples ciência da natureza, colocada na conjunção das ciências da natureza como a geologia, a biologia e a antropologia, e das ciências humanas, história ou etnologia, a geografia permanece "humana". Ela não pode, sem se desfazer, consentir em não ser mais que uma física do comportamento humano. Impossível eliminar de seu "objeto" qualquer valor moral ou estético. Impossível, a partir do observador, suprimir inteiramente o "ponto de vista" de onde abarca a realidade geográfica, de apagar, consequentemente, a subjetividade do sujeito para quem a realidade se torna realidade. Mesmo a geografia física ou biológica é humana sob todos os aspectos. Porque a montanha ou o mar não são a montanha ou o mar de modo abstrato. Elas o são como tal para o homem. Além disso, elas revelam alguma coisa do homem. A montanha causa no homem certas modificações corporais, e reações psicológicas, um certo movimento do ser que forja o montanhês ou o alpinista.

A geografia é, verdadeiro lugar-comum, uma ciência de síntese. Talvez seja, para alguns, uma razão para desqualificá-la como ciência, de negá-la um "domínio" que não provenha de um plágio da geologia, da meteorologia, da hidrologia, da botânica, da sociologia e de uma infinidade de outras ciências, mas é também a manifestação, sobre o próprio terreno da ciência objetiva, do fato de que a geografia permanece como uma "visão de conjunto", ou seja, uma visão humana sobre a Terra. A diversidade de empréstimos deriva da "mudança de horizonte" que o homem faz a partir desse centro de observação. Do ponto de vista do objeto, o espaço geográfico abarca, na superfície da Terra, na zona que é hábitat do homem, a distância, o relevo, o céu, as cores, o movimento, a vida animal, vegetal, humana. A geografia seguirá a geologia no estudo estratigráfico e tectônico das rochas, porém somente até uma certa profundidade; ela lhe fará companhia para questionar a climatologia, depois a hidrografia, abandonando-as quando se dissolver a base terrestre e humana, para voltar para onde se encontram os aportes recíprocos das diversas ciências. Daí a séria dificuldade em saber onde termina a prospecção geográfica.

Mas lá também o discernimento pessoal do geógrafo é necessário. Aos fatos tomados de empréstimo de diversas ciências, cabe à geografia reagrupá-los, ordená-los segundo as exigências de sua intenção dominante, que é de nunca se afastar da realidade tal como ela se oferece, no que ela tem de global e de concreto. Reagrupados os elementos, a geografia traçará um quadro racional e coerente, em que a impressão direta é confirmada pela reflexão, como se encontra em exemplos, daqui em diante clássicos, como nos estudos regionais de Demangeon sobre a *Picardia* ou os de Blanchard sobre o *Flandres*. Nesse quadro da "Geografia geral", em que se trata de perceber um fenômeno geográfico em sua extensão planetária, o geógrafo se mostra atento em salvaguardar os complexos e as combinações de fatos, aquilo que se observa realmente, mais do que decompor, isolar, abstrair. Estudar a nebulosidade e as precipitações atmosféricas, com o único fim de determinar os diferentes tipos de nuvens, é trabalhar para a meteorologia ou para a física, todavia esse não é o interesse da geografia das nuvens. Porque as nuvens jamais se apresentam como tipos puros e isolados. O que se encontra de fato são conjuntos de nuvens apresentando muitas variedades. A geografia das nuvens nasceu, há uns trinta anos, com os trabalhos de Schereschewski e Wehle, atentos a essas aglomerações de nuvens que efetivamente originam as chuvas ou são obstáculos duradouros para a insolação. Do mesmo modo a geografia vegetal, ou *fitogeografia*, não tem interesse pela sistemática ou morfologia das espécies, domínio da botânica, mas se volta para a ecologia, que relaciona diversas espécies com suas condições de vida (flores aquáticas, do deserto, ou das estepes etc.), ou para as associações vegetais (florestas densas, esparsas, savanas, pradarias etc.).

Explicativa ou descritiva, a geografia permanece profundamente fixada no real. Ela será determinista, sobretudo, onde as leis naturais propiciam um terreno sólido. Porém ela não desconhecerá que o homem na Terra reage ao meio: a civilização holandesa ou a atividade norueguesa são, em certa medida, um desafio às exigências naturais, as paisagens de Manitoba, as rotas comerciais transoceânicas, as cidades como Paris, Londres, Nova York, são conquistas do homem sobre a natureza: de fato não são "naturais", mas totalmente artificiais. O homem criou condições de vida absolutamente novas. Trata-se, inclusive, como mostrou recentemente Josué de Castro, na sua *Geografia da Fome*, de desfigurar completamente o aspecto natural de uma região com fins egoístas. O determinismo, enfim, onde convém, não é uma negação, mas uma condição da liberdade humana. O homem não poderia prever as colheitas e as indústrias, construir casas e estradas, libertar-se da fome, da sede e do frio, da distância e da exuberância vegetal, senão pelo que pudesse computar sobre a constância dos fatos, sobre as resistências da matéria e a invariância dos fenômenos periódicos. Sem determinismo não há previsões, nem construções possíveis.

A geografia, ao surpreender a realidade do mundo enquanto espacialidade e o espaço enquanto fisionomia da Terra, exprime uma inquietude fundamental do homem. Ela responde a um interesse existencial que extingue o intento de abordar o homem como objeto do conhecimento. Colocar-se de fora da Terra e do espaço concreto para conhecê-los do exterior, é esquecer que, por sua própria existência, o homem está comprometido como ser espacial e como ser terrestre. A geografia é o que Karl Jaspers chama de uma *ciência limite*, como a psicologia e a antropologia, uma ciência onde o objeto continua, em certa medida, inacessível, porque o real do qual se ocupa não pode ser inteiramente objetivado. Porque o homem é "mais do que aparece a uma ciência da qual é o objeto"[29]; ele é sujeito, capaz da liberdade, de projetos novos e de empreitadas imprevisíveis. É necessário, portanto, compreender a geografia não como um quadro fechado em que os homens se deixam observar tal qual os insetos de um terrário, mas como o meio pelo qual o homem realiza sua existência, enquanto a Terra é uma possibilidade essencial de seu destino.

29 K. Jaspers, *Philosophie I*, p. 100.

# Conclusão

É difícil imaginar em nossa época uma outra relação do homem com a Terra para além do conhecimento objetivo proposto por uma geografia científica. Essa vontade de promover uma ordem espacial e visual do mundo responde à tendência geral do pensamento ocidental nos tempos modernos. Visualização do mundo como imagem universal, como representação, que o homem tem presente diante de si para melhor dominá-la. Como mostrou Heidegger em seu *Holzwege*[1] (Caminhos na Floresta). Uma tal objetivação do mundo após o Renascimento e, sobretudo, após Descartes permitiu que o homem assumisse plenamente sua subjetividade, no sentido de que aceitou como fundamental a verdade da certeza interior do seu eu: diversamente do homem antigo, para quem o mundo se desvela por si mesmo, que vive, por assim dizer, sob o olhar das coisas circundantes e se vê, nessas "aparições", determinado como destino; diversamente do homem medieval, que submete seu pensamento à autoridade de uma verdade revelada, transmitida pela doutrina cristã, o homem dos tempos modernos acredita e se vê como mestre soberano da verdade: não admite outra

1 Die Zeit des Weltbildes, em *Holzwege*, p. 82 e s.

garantia que não seja a que ele mesmo possa dar, sendo, nessa liberdade, baseado todo o fundamento e toda a razão. Ele se lança sobre tudo o que existe, armado com suas medições e cálculos, colocando todas as coisas à sua frente, na obediência e em serviço de sua causa.

É portanto inevitável, e é salutar, que a geografia leve adiante sua tarefa de se dirigir, através dos inventários, das cartas precisas, das estatísticas mais aproximadas, à imagem mais exata e mais completa da Terra. Mas é bom nos recordarmos de que a objetividade por si mesma não é uma garantia absoluta de verdade, que ela falha se nos abandonamos sem reserva. Uma visão puramente científica do mundo pode muito bem designar, como nos fala Paul Ricoeur[2], uma tentação de abdicar, "uma vertigem da objetividade", um "refúgio quando estou cansado de querer, e a audácia e o perigo de ser livre pesam". É para nós uma obrigação moral e um dever de probidade intelectual mostrar novamente à consciência que o homem moderno retira sua objetividade de sua própria subjetividade de sujeito, que é, em última análise, sua liberdade espiritual que é o juiz da verdade, e ele não pode, sem renunciar à sua humanidade, alienar sua soberania. "Esse ser de razão que é o homem do século das luzes", disse Heidegger, "não está menos sujeito do que o homem que se compreende como nação, que quer ser povo, que se impõe à disciplina da raça e se apropria, no fim das contas, da Terra para dominá-la". No momento em que se propaga por todo lado essa raça de homens que reduzem o espaço a um objeto, a Terra em matéria-prima ou em fonte de energia industrial, que dispõe de tudo e mesmo da vida humana soberanamente, é necessário admitir que essa energia secreta que erige o homem de hoje sobre sua própria liberdade não difere essencialmente de uma vontade de potência, segura de toda força de seu poder-ser, e muito permeável à paixão. Se nos esquecemos do uso, muitas vezes inquietante, que o homem faz hoje de sua soberania absoluta sobre o plano geral, reforçando sem cessar "muito objetivamente" seu poder de destruição, aniquilando "cientificamente" as vidas humanas pela guerra ou nos campos de concentração, os fatos incontes-

2 Méthode et tânches d'une phenomenology de la volonté, em *Problèmes actuels de la phénoménologie*, p. 326.

táveis alegados sobre o terreno da geografia bastam para nos incitar mais prudência e modéstia quando exaltamos nossa visão puramente objetiva do mundo. Prestemos atenção, por exemplo, às advertências muito objetivas de Josué de Castro em sua *Geografia da Fome*, ou de Willian Vogt em *La Faim du monde* (A Fome do Mundo). Veremos que teremos muito mais a dizer sobre a maneira pela qual o homem dispõe da Terra como mestre absoluto, provocando aqui a erosão dos solos, lá um regime de carências alimentares próximas da inanição.

Seria conveniente também lembrar que no exato momento em que o Ocidente se esforça para submeter toda a Terra ao seu poder através da ciência e da indústria, em que se "desnaturaliza" a realidade geográfica em espaços urbanos, e nivela todas as diferenças geográficas sob uma civilização material uniforme, vemos se multiplicarem os meios que o homem cria para se evadir desse mundo artificial e retornar, com a geografia, a um contato mais natural, mais direto: turismo, férias remuneradas, escotismo, albergues da juventude.

A experiência geográfica se produz muitas vezes voltando as costas à indiferença ao isolamento da geografia acadêmica, sem cair, no entanto, no absurdo. Ela se realiza na intimidade com a Terra que pode continuar secreta. Inexprimida, inexprimível, é a "geografia" do camponês, do montanhês ou do marítimo. Recolhido ao silêncio pelo acanhamento ou pelo pudor, porém muito vivo e muito forte em suas ligações com a terra, a montanha ou o mar sobrepujam frequentemente as afeições humanas. Em sua conduta e em sua vida cotidiana, em sua sabedoria lacônica carregada de experiências, o homem manifesta que crê na Terra, que confia nela; que conta absolutamente com ela. É lá, em seu horizonte concreto, que uma aderência antes de tudo corporal assegura seu equilíbrio, sua rotina, seu repouso. A terra não se discute, sem ela tudo desaba. Contra o invasor napoleônico os camponeses russos defenderam suas terras queimando as colheitas e as cabanas, e os espanhóis se curvaram até a morte sobre seu solo. A Terra, porque vivemos e morremos nela, assemelha-se um pouco a um saber desinteressado; ela é o interesse, por excelência. A Terra é o teatro da história: cobiça pelo espaço estrangeiro ou de expansão territorial para uns, defesa do solo nacional para outros. O mar é um poder pelo qual se bateram gregos contra fenícios, portugueses contra árabes, ingleses contra franceses. O céu, por sua vez, se tornou terreno de combates ou via de comunicação, provocando competições ardentes. A Terra, como extensão planetária, entra atualmente nas concepções humanas, após se fazer a guerra em escala global, após se elaborar planos para organizar os povos e as economias ao redor de um oceano ou para um continente inteiro, nas dimensões mundiais.

O homem se entende de imediato com a Terra. Em certos casos sob a forma de um silencioso conluio. Na extremidade ocidental da Bretanha, onde as vagas furiosas, monstruosas, atacam os rochedos e lançam os navios à costa, Michelet anota em seu *Tableau de la France*[3]: "A natureza é atroz, o homem é atroz, e parecem se entender. Desde que o mar lhes lance um pobre navio, eles correm à costa, homens, mulheres e crianças; eles se lançam sobre essa carniça". Cumplicidade reconhecida nos tempos antigos pelos privilégios feudais lucrativos, direito do *bris* na Bretanha, direito do *varech* na Normandia*. Ordinariamente, esse entendimento com a Terra é o acordo do camponês com a seiva que corre ou com o "tempo", a dos marítimos com o vento e as correntes. Para aqueles a quem é dado o poder de exprimir esses laços profundos, a Terra é o "país", essa experiência primordial e inesquecível, esse olhar maravilhado da criança que abre para si o conhecimento de um mundo muito mais vasto. Cantando "as cerrações móveis e as nuvens volantes" de sua Flandres natal, Emile Verhaeren escreveu:

> Meu país inteiro vive e pensa em meu corpo.
> Ele absorve minha força em sua força profunda.
> Porque eu sinto melhor através dele o mundo.
> E celebro a Terra com um canto mais forte.

3 Foi em 1833 que saiu a edição original do célebre *Tableau*. Michelet cita essa confissão eloquente do visconde de Leon, a respeito de um recife: "Deparei-me com uma pedra mais preciosa que aquelas que ornam a coroa dos reis". Cf. p. 12.

* Cf. José Ferreira Marnôco e Sousa, *História das Instituições: Direito Romano, Peninsular Português*, Coimbra: França Amado, 1910, p. 296-296: "O direito de naufrágio, também chamado *laganum*, *wreccum droit de bris*, era o direito que o rei e os senhores se arrogaram de se apoderarem das pessoas e cousas naufragadas no mar ou rios" (N. da E.).

A geografia exige de uns todas as suas jornadas e todas as suas penas, e é lá que eles realizam seu ser e se compreendem. Para outros, o país são linhas e cores, mas também os caminhos e as casas: o presente. São árvores avançadas nos anos, tumbas: um passado. São terras a cultivar, campos a ceifar, projetos: um futuro. Em uma palavra, uma continuidade, uma fidelidade. Um equilíbrio nas flutuações tumultuosas da vida.

A geografia pressupõe e consagra uma liberdade. A existência, ao escolher essa geografia, exprime frequentemente o que há de mais profundo nela mesma. "Cada alma", disse Amiel, "tem seu clima". Aquele do poeta Hölderlin , o do Mediterrâneo e das ilhas ensolaradas que, no entanto, ele jamais conheceu. Chateaubriand amava o mar, mas a montanha, onde o desmesurado o esmaga, lhe "parece a morada da desolação e da dor". O simbolismo de Novalis se coloca no mundo da noite, em que a alma sente dissolverem as separações que a ferem e reencontra a esperança e a paz. Quanto a Baudelaire, Sartre observa que havia "acuradamente delimitado a geografia de sua existência decidindo arrojar suas misérias em uma grande cidade, recusando todos os exílios reais, para melhor perseguir em seu quarto as evasões imaginárias"[4]. Essa geografia que recusa também toda geografia, toda a descoberta de novos horizontes, parece, às vezes, oscilar entre a nostalgia de uma outra vida e o espaço enfadonho e glacial em que ele se condena a passar os dias sem alegria.

> Por muito tempo morei sob vastos pórticos
> Que os sóis marinhos tingiam com mil fogos...
> Lá eu vivia numa calma voluptuosa
> Em meio ao azul, das vagas, dos esplendores...

Evasão, a geografia tem muitas vezes o sentido de uma fuga de si mesmo. Quantos viajantes ilustres, desde Chateaubriand até Montherlant, percorreram a Terra, com seu tédio e sua inquietude, na esperança de renovar sua energia perdida, de reencontrar seu primeiro assombro, essa ingenuidade do olhar que haviam perdido. Procura muito artificial, que se mostra distante e sem proveito. A superioridade a que se atribui o

4 *Baudelaire*, p. 222.

homem moderno sobre o mundo circundante aparenta ser um obstáculo intransponível para que tenha uma harmonia sincera com a floresta, com o mar ou com a montanha. Ao multiplicar seus pontos de vista sobre a Terra, o homem não ganha mais do que um saber pretensioso. "Cremos ganhar", disse Montherlant, "mas o que ganhamos em extensão, perdemos em profundidade, nos inflamos com uma ciência falsa e pior que a ignorância, porque ela é pretensiosa". Quando a viagem não é simplesmente um meio para o homem fugir para o inautêntico, para o "divertimento", a seriedade de sua própria existência e das exigências de sua liberdade.

Um dos dramas do mundo contemporâneo é que a Terra foi "desnaturada", e o homem só pode vê-la através de suas medidas e de seus cálculos, em lugar de deixar-se decifrar sua escrita sóbria e vívida. Nossa civilização e uma ciência muitas vezes abandonada à vulgaridade multiplicaram os número de seres privados de todo vigor provincial, da sabedoria prudente e enérgica que provém do contato cotidiano com a planície, a vertente ou o vagalhão, do ritmo natural da vida no meio das coisas.

As doutrinas contemporâneas do desespero e do absurdo, contrastando com a extraordinária habilidade técnica e científica do homem moderno, relacionam-se com o desencantamento de nosso universo, banalizado por um saber que nivela os relevos, aniquila as diferenças, apaga as cores. Que há em nossa época a busca frequente de um novo frescor da visão, é fato que não pode ser posto em dúvida ao vermos a arte contemporânea apelar para a sensação pura, captar e transmitir sua admiração diante da vida, sem se inquietar com o sentido, a ligação lógica com o mundo comum. A pintura se abandona à materialidade vivida tomada no nível da emoção, a música e a pintura, à musicalidade pura. Jogo espontâneo das linhas, da cor e dos sons.

No próprio seio do universo científico, um mal-estar provém da oscilação sincera do pensamento entre duas ordens do mundo: a da realidade concreta, mais local e momentânea; a do real, abstrata e universal, resgatada pelo método científico. Em que nível da realidade as águas marinhas são verdadeiramente "reais"? No nível do fenômeno, lá onde suas transparências, seus reflexos, suas ondulações agem sobre nossos sentidos e nossa imaginação? Ou no nível do esquema que provém da análise físico-química? É a onda que "vemos" ou a molécula, é ao átomo que "concebemos" que devemos atribuir o valor essencial? A ciência não visa a realidade das coisas, mas sua "possibilidade", não sua particularidade "histórica", mas sua conexão "legal", não sua "natureza", mas sua composição. A geografia, por sua posição, não pode se furtar de ser solicitada entre o conhecimento e a existência. Descartando-se da ciência ela se perderia na confusão e na loquacidade. Entregando-se sem reservas à ciência ela se exporia ao que Jaspers chama de "uma nova visão mítica", esquecendo-se de que uma atitude científica objetiva visa a uma compreensão total do mundo que não pode deixar de ser também moral, estética, espiritual. O frio isolamento cósmico do espectador combina mal com a finitude e a solidão moral do homem em sua existência efetiva, com a exigência concreta de sua morada terrestre.

Resistindo ao espírito do pensador que, em nome de uma razão muito rígida e muito imperiosa, entorpece nossa liberdade espiritual, salvaguardamos, com a poesia ou simplesmente com um pensamento livre, a fonte em que se revigora sem cessar nosso conhecimento do mundo exterior. A vida se encarrega, apesar de todas as nossas barreiras intelectuais e de todas as precauções de um positivismo de visão estreita, de restituir aos espaços terrestres seu frescor e sua glória, por pouco que aceitemos de recebe-los como dom. O poeta Stefan George cantou esse vigor do horizonte terrestre restituído à admiração do homem:

> Por quais sortilégios sorriem essas manhãs da Terra
> Tal como em seu primeiro canto? Canto de uma alma pasmada
> Mundos rejuvenescidos que levam o vento
> Antigos perfis dos montes que mudaram de feição
> Como os pomares da infância onde se vê flutuar as flores
> A natureza estremece com o arrepio da Graça...

# Índice de Pessoas Citadas e Bibliografia*

ADRIANO, imperador romano (76-138) : 84.
AILLY (Pierre d'), teólogo francês (1350-1420) : 79.
ALAIN (Emile Chartier, dit), filósofo francês (1868-1951). *Entretiens au bord de la mer*. Paris: Gallimard, 1931 : 7, 23.
ALEXANDRE o Grande (356-323 a.C) : 84.
AMIEL (Henri-Frédérie), escritor suíço (1821-1889). *Fragments d'un journal intime*. Primeira edição 1883-1884. Paris: Sandoz et Thuillier : 95.
ARBOS (Philippe), geógrafo francês (1882-1956). *L'Auvergne*. Paris: A. Colin, 1932 : 19.
ARIAS (Pedro), médico espanhol, voyage en Amérique Centrale vers 1515 : 81.
BACHELARD (Gaston) filósofo francês (1884-1962). *L'Eau et les rêves*. Paris: J. Corti, 1942; *La Terre les rêveries du repos*. Paris: J. Corti, 1942 : 14, 15, 17, 20, 24, 37.
BAUDELAIRE (Charles) (1821-1867) : 24, 95.
BEETHOVEN (Ludwig von) (1770-1827) : 39.
BERNARDIN DE SAINT-PIERRE (Henri) (1737-1814) : 33, 82, 83.
BLANCHARD (Raoul), geógrafo francês (1877-1965). *La Flandre*. Paris: A. Colin, 1906 : 88.
BOUGAINVILLE (Louis Antoine de), navegador francês (1738-1815) : 79, 82.

* Índice de nomes dos autores citados, organizado na edição de 1990 por Philippe Pinchemel e Jean-Marc Besse, com participação de Nathalie Raoul. Foram listados, na medida do possível, as edições utilizadas por Dardel na época. Em vista disso, não havendo informações suficientes em alguns casos, elas são aproximadas. Para esta edição, incluímos, entre colchetes, as versões traduzidas para o português das obras citadas, e atualizamos os dados quando disponíveis (N. da E.).

CAILLIÉ (René), viajante francês (1799-1838) : 79.

CASTRO (Josué de), médico e geógrafo brasileiro (1908-1973). *Géographie de la faim (La Faim au Brásil)*. Paris: Ed. Ouvrières, 1949. *Geografia da Fome*. Rio de Janeiro: Civilização Brasileira, 2005 : 32, 88, 93.

CAYEUX (André de) participou da expedição francesa de 1948 à Groenlândia. *Terre arctique: Avec l'expédition française au Groënland*. Paris: Grenoble, 1949 : 40.

CHARCOT (Jean), campanhas oceanográficas pelas regiões polares (1867-1936) : 79.

CHATEAUBRIAND (François-René, visconte de) (1768-1848) : 82, 95.

CLAUDEL (Paul) (1868-1955) : 33.

COLOMBO (Cristóvão) (1451-1506) : 77, 78, 79, 80.

COMAN (Jean). *L'Idée de la Némésis chez Eschyle*. Paris: Alcan, 1931 : 74.

COOK (James) (1728-1779) : 79.

CRU (Jean Norton), ensaísta, historiador francês. *Du Témoignage*. Paris: Gallimard, 1930 : 36.

DAWSON (Christopher Henry), historiador inglês. *The Making of Europe*. Londre: Sheed and Ward, 1932 : 72.

DEBUSSY (Claude) (1862-1918) : 39.

DEMANGEON (Albert), geógrafo francês (1872-1940). *La Picardie*. Paris: A. Colin, 1905; *Les Îles britanniques*. Paris: A. Colin, 1927 : 30, 88.

DESCARTES (René) (1596-1650) : 91.

DIETERLEN (Germaine). *Essai sur la religion bambara*. Paris: PUF, 1951 : 53, 63.

DIODORO da Sicília, historiador grego (1º século a.C.), autor de uma Biblioteca histórica : 85.

DION (Roger) geógrafo francês (1896-1981). *Essai sur la formation du paysage rural français*. Tours: Arrault, 1934 : 31, 32.

DUQUESNE (Henri), marinheiro francês (1652-1722) : 81.

ELIADE (Mircéa), escritor romano, historiador das ideias (1907-1986). *Traité d'historie des religions*. Paris: Payot, 1949 [*Tratado de História das Religiões*. São Paulo: Martins Fontes, 2008]; *Le Mythe de l'éternel retour*. Paris: Gallimard, 1949 [*O Mito do Eterno Retorno*. São Paulo: Mercúrio, 1992] : 49, 56, 63.

ERATÓSTENES, matemático, astrônomo, tutor de Alexandre (284-192 a.C.) : 85.

ÉSQUILO (525-456 a.C.) : 74.

ESTRABÃO, geógrafo grego (v. 58 a.C. -entre 21 e 25 d.C.) : 85.

FAUCONNIER (Henri) escritor francês, prêmio Goncourt de 1930 por *Malaisie*, Paris : Stock (1879-1956) : 4.

FEBVRE (Lucien), historiador francês (1878-1956). *Le Problème de l'incroyance au XVIe siècle: La religion de Rabelais*. Paris : Albin Michel 1942 [*O Problema da Incredulidade no Século XVI: A Religião de Rabelais*. São Paulo: Cia. das Letras, 2009 : 30, 77, 78.

FORTUNE (Roo Franklin). *The Sorceres of Dobu*. London: Routledge and Sons, 1932 : 59.

FRANCISCO DE ASSIS (São) (1182-1226) : 6.

GARRIC (Robert), universitário e administrador francês (1896-1967), fundador das "Equipes sociales", com J. Guitton, P. Deffontaines, E. Michelet, em 1921. *Belleville*. Paris: Grasset, 1929 : 28.

GEORGE (Stefan), escritor, poeta alemão (1868-1933). *Choix de poèms II, Paysage I*. In: *Le Septiéme anneau*. Trad. M. Boucher. Paris: Aubier, t. II, 1941; [*Crepúsculo*. São Paulo: Iluminuras, 2000] : 24, 33, 97.

GOETHE (Johann Wolfgang von) (1747-1832) : 16, 20.

GRENIER (Jean), escritor francês (1898-1971). *Les Îles*. Paris: Gallimard, 1947; [*As Ilhas*. São Paulo: Perspectiva, 2009]: 44.

GUDMUNSSON (Kristmann), romancista islandês-norueguês. *Rive Bleue*. Paris : Julliard, 1946 : 4, 38.

GUIZOT (François), homem de Estado e historiador francês (1787-1874). *Lettres de Guizot à sa femme*, publicado por Marie Pierre em *Grands esprits et nobles coeurs*. Paris : Taffin-Lefort, 1898 : 36.

HANNON, navegador cartaginense (6º século a.C.) : 75.

HAYDEN (Ferdinand Vandiveer), geólogo, explorador americano (1829-1887) : 86.

HEGEL (Friedrich) (1770-1831). *Philosophie de la nature*. Paris: Ladrange, 1863-1866 : 16.

HEIDEGGER (Martin), filósofo alemão (1889-1976). *Holzwege*. Frankfurt am Main: V. Klostermann, 1950 : 42, 91, 92.

HERÁCLITO, filósofo grego (540-480 a.C) : 84.

HERÓDOTO, historiador grego (484-420 a.C) : 84.

HÖLDERLIN (Friedrich), poeta alemão (1770-1843) : 5, 17, 25, 95.

HUGO (Victor) (1802-1885) : 22, 39.

HUMBOLDT (Alexandre de) (1769-1859) : 86.

JASPERS (Karl), filósofo alemão (1883-1969). *Philosophie I*. Berlin: Springer, 1932 : 89, 97.

JAVELLE (Emile). *Souvenirs d'un alpiniste*. Lausanne: A. Imer, 1886/ Paris: Payot, 1929 : 16.

JOURDAIN CATHALA DE SÉVERAC, missionário dominicano, nascido no sul da França; chegou na Índia em 1321 : 79.

KONCZEWSKI (Czeslaw). *La Sympathie comme fonction de progrès et de connaissance*. Paris: PUF, 1951 : 6, 35.

LA CONDAMINE (Charles-Marie), viajante francês (1701-1774) : 81.

LANZA DEL VASTO (Giuseppe Lanza di Tribia-Branciforte), escritor francês de origem italiana (1901-1981). *Pèlerinage aux sources*. Paris: Denoël, 1943 : 26.

LEENHARDT (Maurice), missionário protestante e etnólogo francês (1878-1954). *Do Kamo. La Personne et le mythe dans le monde mélanésien*. Paris: Gallimard, 1947 : 51, 52, 61, 62.

LÉVINAS (Emmanuel), filósofo francês (1905-1995). *De l'existence à l'existant*. Paris : Fontaine, 1947 ; "Le Temps et l'autre" e "Le Choix, le monde, l'existence". *Cahiers du Collège philosophique*, 1947 : 40, 64.

LÉVY-BRUHL (Lucien), filósofo francês (1857-1939). *La Mythologie primitive*. Paris: Alcan, 1935 : 55, 57, 59.

LINTIER (Paul), escritor (1893-1916), morto na guerra. *Ma Pièce*. Paris: Plon, 1916; *Le Tube 1233*. Paris: Plon, 1917 : 36.

LIVINGSTONE (David), missionário e explorador escocês (1813-1873) : 79, 86.

LOTI (Julien Viaud, chamado Pierre), escritor francês e oficial da marinha (1850-1923) : 7, 43.

MAETERLINCK (Maurice), escritor belga de expressão francesa (1862-1949) : 20.

MAGALHÃES (Fernão de) (1480-1521) : 78.

MARTONNE (Emmanuel de), geógrafo francês (1873-1955). *Traité de géographie physique*. Paris: A. Colin, 1. éd. 1909; 7. éd. 1947-1950 : 6, 15.

MERLEAU-PONTY (Maurice), filósofo francês (1908-1961) : 40.

MICHELET (Jules), historiador francês (1798-1874). *Tableau de la France*. Paris: Les Belles Lettres, 1934 : 21, 24, 94.
MINKOWSKI (Eugène), filósofo e psiquiatra (1885-1972), fundador da evolução psiquiátrica. *Le Temps vécu*. Paris: J.L.L. d'Artrey, 1933; *Ves une cosmologie*. Paris: Montaigne, 1936 : 13, 24, 25.
MONTHERLANT (Henri Million de) (1896-1972) : 95.
MORUS (Thomas) (1478-1535) : 76.
NACHTIGAL (Gustow), explorador alemão (1834-1885) : 79, 86.
NANSEN (Fridtjof), explorador, naturalista norueguês (1861-1930) : 79.
NAPOLEÃO 1º (1769-1821) : 21.
NIETZSCHE (Friedrich) (1844-1900) : 17, 24.
NOGUE (Jean), filósofo francês do século XX, *Esquisse d'un système dês qualités sensibles*. Paris: PUF, 1943 : 26, 39.
NORDENSKJOLD (Erik), explorador sueco (1832-1901), descobridor da passagem Norte-Leste (1878-1879) : 79, 86.
NOVALIS (Friedrich, Barão de Hardenberg, chamado) poeta alemão (1772-1801) : 5, 95.
ORTEGA Y GASSET (José), escritor espanhol (1883-1955). *El Espectador*. Madrid: [s.n], 1936 : 9.
PEARY (Robert), explorador americano das regiões árticas (1856-1920). *Plus près du pôle*. Paris: Hachette, 1909 : 79.
PEREYRA (Carlos), *La Conquête des routes océaniques d'Henri le Navigateur à Magellan*. Pairs: Les Belles Lettres, 1925 : 78, 79, 80.
POLO (Marco) (1254-1324) viajante veneziano: 77, 79.
POWELL (John Wesley), geólogo, etnólogo e linguista americano (1834-1902) : 86.
PROAL (Jean). *Au Pays du chamois*. Paris: Albin Michel, 1498 : 44.
PÍTIAS, astrônomo, geógrafo, navegador greco (4º século a.C.) : 75, 78.
QUINET (Edgar), filósofo francês (1803-1875). *Ahasvérus*. Paris: Guyot, 1834 : 22.
RECLUS (Elisée), geógrafo francês (1830-1905) : 86.
RICOEUR (Paul), filósofo francês (1913-2005). Méthode et tânches d'une phenomenology de la volonté. In: *Problèmes actuels de La phénoménologie*. Paris: Desclée de Brouwer, 1952 : 92.
RILKE (Rainer Maria), escritor austríaco (1875-1926) : 36.
RIMBAUD (Arthur) (1854-1891) : 20, 37.
RITTER (Karl), geógrafo alemão (1779-1859) : 86.
ROUSSEAU (Jean-Jacques) (1712-1778) : 82.
SAINT-EXUPERY (Antoine de) (1900-1944). *Terre des hommes*. Paris: Gallimard, 1939; [*Terra dos Homens*. São Paulo: Nova Fronteira, 2006] : 26, 79.
SAINTYVES (Pierre). *Essai sur les grottes dans les cultes magico-religieux et la symbolique primitive* (este ensaio se segue à tradução por J. Trabucco de: *Porphyre, l'Antre dês nymphes*). Paris: Bibliothéque de l'initiation antique, 1918 : 17.
SALMINEN (Sally), escritor sueco. *Katrina*. Trad. do sueco por Sven Sainderrichen. Paris: Euvres françaises, 1937 : 35.
SAMAIN (Albert), poeta francês (1858-1900) : 20.
SARTRE (Jean-Paul) (1905-1981). *Baudelaire*. Paris: Gallimard, 1937 : 95.
SCHELER (Max), filósofo alemão (1874-1928) : 6.
SCHERESCHEWSKI (Philippe), meteorologista francês. *A Propos d'une édition nouvelle de l'Atlas international des nuages*, 1927 (com P. Wehrle) : 88.

SHELLEY (Percy Bysshe), poeta inglês (1792-1822). *Prométhée delivré*. Paris : Aubier, 1942 : 5, 27.
SIEGFRIED (André), geógrafo e sociólogo francês (1875-1959) : 31.
SOUSTELLE (Jacques), etnólogo e político francês (1912-1990). *Mexique, terre indienne*. Paris: Grasset, 1935 : 37.
SUVOROV (Alexandre), general russo (1729-1800) : 17.
STANLEY (John Rowlands, Sir Henry Morton), explorador britânico (1841-1904) : 79.
SUESS (Edouard), geólogo alemão (1831-1914) : 86.
SWIFT (Jonathan) (1667-1745) : 76.
SWINBURNE (Algernon Charles), poeta inglês (1837-1909) : 21.
VAN DER LEEW (Gerardus), filósofo e antropólogo. *L'Homme primitif et la religion*. Paris: Alcan, 1940 : 52.
VERHAEREN (Emile), poeta belga de expressão francesa (1855-1916). *Toute la Flandre*. Paris: Mercue de France, 1920 : 94.
VESPÚCIO (Américo) (1454-1512) : 77.
VIDAL DE LA BLACHE (Paul) (1845-1918). *Tableau de la géographie de la France*. Paris: A. Colin, 1903 : 2, 32, 35.
VOGT (Willian). *La Faim du monde*. Paris: Hachette, 1950 : 93.
WALLIS (Samuel), navegador e explorador inglês (1728-1795) : 79.
WEBER (Carl Maria von) (1786-1826) : 39.
WEHRLE (Philippe) (ver SCHERESCHEWSKI) : 88.
WHITEHEAD (Alfred North), lógico e filósofo britânico (1861-1947) : 39.
ZOROASTRO (Zaratustra), reformador da antiga religião iraniana, 8º ou 7º século a.C.: 66.

# Índice de Termos

# Anexos

# Geografia e Existência

## a partir da obra de Eric Dardel

*Jean-Marc Besse*

Por muito tempo a obra de Eric Dardel, *O Homem e a Terra*, foi compreendida como um esforço isolado de um pensador pouco conhecido. Certamente, a comunidade dos geógrafos, que recentemente se recordou dela[1], demorou mais de vinte anos antes de prestar uma atenção séria a este livro. Uma análise das razões desse esquecimento encetará provavelmente uma discussão sobre a história dos caminhos e dos problemas enfrentados pela geografia moderna. Mas nosso propósito não é o de recolocar Dardel no contexto das pesquisas geográficas (mesmo que para deplorar a cegueira). Pretendemos, sobretudo, facilitar o acesso à obra, resgatando sua intenção problemática, e mostrar no que a geografia é reencontrada por Dardel no curso de um itinerário intelectual que se constitui segundo uma unidade própria, de uma grande continuidade em suas intuições principais, mas também de uma diversidade notável dos objetos que aparecem como suporte em seus itens. Essa maneira de proceder (considerar a geografia "na" obra de Dardel mais do que Dardel "no" campo da geografia) permite

1 Conforme as diversas contribuições que acompanham a tradução italiana da obra de Dardel, *L'uomo e la Terra* (organizada por C. Copeta), Milano: Unicopli, 1986.

um retorno ao próprio campo da geografia. Se for necessário ainda ler Dardel, é porque se encontra, com efeito, uma reflexão de suma importância, e única em seu gênero, para os geógrafos de hoje, sobre os fundamentos da geografia e sobre o sentido profundo do que é ser geógrafo. E se as análises de Dardel em *O Homem e a Terra* merecem algum interesse, é porque elas permitem desenvolver uma discussão sobre o "ser geográfico" do ser humano.

A reflexão de Eric Dardel se opõe a redução da geografia a uma "simples" disciplina científica. A diversidade de seus interesses, que conduzem Dardel a prestar atenção às produções "positivas" da geografia, mas também às problemáticas mais recentes da filosofia, da história das religiões, assim como dos problemas éticos de seu tempo, a da leitura assídua de poetas, o convidariam sobretudo a ver a geografia do ponto de vista geral de uma reflexão sobre as atitudes humanas no mundo. A geografia viria então a ilustrar, de maneira decisiva, o fato de que um certo número de elementos da existência humana não pode ser objetivado pela ciência, e, consequentemente, exige um outro tipo de abordagem.

Trata-se para Dardel de levar a sério o enunciado fundamental da geografia clássica segundo o qual ela é a disciplina que trata das relações do homem com a Terra. Porém essas relações, para Dardel, definem uma "geograficidade" primordial que tem repercussões sobre o modo como devemos considerar a geografia científica. Elas são compreendidas por Dardel como inscrições do terrestre no humano e do homem sobre a Terra, de tal modo que nem o humano nem o terrestre podem ser geograficamente pensáveis um sem o outro. O "sujeito" e o "objeto" se envolvem um no outro, e para dar conta dessa circularidade que constitui propriamente o mundo geográfico, podemos nos manter unicamente no ponto de vista da ciência que analisa e separa os elementos para colocar em seguida o problema de sua síntese. O mundo geográfico só é autenticamente acessível a partir do nível da experiência vivida, em que o terrestre e o humano se ajustam a uma medida original.

Em *O Homem e a Terra*, Eric Dardel conduz a uma pergunta em que a intenção é de formular a *essência* da geografia. Mais que isso, nessa tentativa de esboçar uma face para a geografia, ele adota uma certa posição, em que deve se apreender o desafio, os motivos e os efeitos. "a inquietude geográfica precede e sustenta a ciência objetiva. [...] É dessa primeira surpresa do homem frente à Terra e à intenção inicial da reflexão geográfica sobre essa 'descoberta' que se trata aqui" (p. 1-2).

O leitor não lida com um questionamento epistemológico "interno" à disciplina: não se trata de uma descrição destinada a apresentar as etapas instituídas na disciplina, nem um questionamento reflexivo sobre essas etapas que constituem o motivo de Dardel. Sua proposta não é "epistemológica", ela se orienta acima de tudo sobre uma interpretação global da geografia que visa estabelecer os fundamentos e o sentido do ponto de vista da existência humana. De que "inquietude" se trata na geografia? O que se "revela" ao homem quando ele se coloca "frente à Terra"?

A partir dessas questões Dardel se situa no que podemos chamar de "lugar da inocência", uma origem. É necessário imaginar que Dardel não sabe o que é a geografia, e que ele ensaia uma resposta. Ou ainda: é necessário se remeter a esse momento problemático que precede (sempre) a solução a qual damos o nome de uma ciência (a geografia). A questão está resolvida hoje, por isso existem geógrafos, contudo é ao interrogar o sentido dessa solução que Dardel nos convida a reconsiderar o que constitui a intencionalidade fundadora da geografia. Se a *ciência* geográfica é a resposta a uma inquietação, o leitor de *O Homem e a Terra* está colocado diante da questão das condições da *possibilidade* dessa resposta.

## A GEOGRAFIA COMO REALIDADE HUMANA

A posição de Dardel leva a consequências decisivas para a elucidação da realidade própria da geografia. Em particular, a análise dardeliana recorda que a palavra "espaço" se abre a uma grande diversidade de significados, que comprometem cada uma das posições teóricas específicas sobre a identidade da disciplina.

A geografia não é, de início, um conhecimento; a realidade geográfica não é, então, um "objeto"; o espaço geográfico não é um espaço em branco a ser preenchido a seguir com colorido. A ciência geográfica pressupõe que o mundo seja conhecido geograficamente, que o homem se sinta e se saiba ligado à Terra como ser chamado a se realizar em sua condição terrestre (p. 33).

O espaço geográfico, para Dardel, não é o espaço da carta, não é também o espaço puramente relacional da geometria é, ao contrário, um espaço substancial, irremediavelmente material. É o mundo da existência, um mundo que agrupa certamente as dimensões do conhecimento, mas também, e sobretudo, aquelas da ação e da afetividade. A geografia está implicada em um mundo vivido, o mundo ambiente da existência cotidiana dos homens. O espaço não é nem objetivo nem homogêneo, porém, como disse Dardel, ele é sempre "solidári[o] a uma certa tonalidade afetiva" (p. 34). Esse espaço é marcado por valores heterogêneos e investido de direções significantes.

A realidade geográfica, consequentemente, não é a *natureza*, que entendemos como o sistema de leis que a instituiriam em sua ordem objetiva, ou o suporte morfológico em que se desenrolam as atividades humanas. A geografia não considera a natureza, mas a *relação* dos homens com a natureza, relação existencial que é ao mesmo tempo teórica, prática, afetiva, simbólica, e que delimita justamente o que é um *mundo*. Dardel pretende retomar a posição da geografia clássica vidaliana, mas lhe dando uma ancoragem ontológica decisiva pelas consequências que ela provoca. Toda a geografia, segundo Dardel, determina uma ontologia.

## *O Espaço Geográfico como "Mundo"*

A apresentação do espaço efetuada por Dardel prolonga uma linha de pensamento heideggeriana. Segundo Heidegger, como sabemos, o mundo não existe em um espaço vazio, que o precedera, mas "cada mundo descobre a espacialidade do espaço que lhe cabe" (*Sein und Zeit*, p. 104). É necessário então pensar o espaço a partir da "mundanidade", a partir do fato de que "existe o mundo". Da mesma maneira, para Dardel, o espaço geográfico é incompreensível se não o recolocamos no quadro de uma reflexão sobre o ser-no-mundo do homem, pois "O espaço está sempre 'dentro' do mundo, no sentido de que o ser--no-mundo, determinação constitutiva do *Dasein*[2], faz surgir o espaço" (*Sein und Zeit*, p.111).

No entanto, é também a noção de "mundo" que é modificada pela analítica heideggeriana. Se, tradicionalmente, mundo é definido como o conjunto de objetos e de seres existentes, mais precisamente como a totalidade no seio da qual esses objetos e esses seres têm lugar, para Heidegger o mundo é relativo ao *Dasein*. Mundo é efetivamente uma totalidade, muito mais a título de horizonte do que de realidade dada. É um horizonte global e presuntivo de sentido que é relativo ao projeto do *Dasein*, e nesse horizonte os objetos e os seres têm lugar porque como dado primordial eles recebem um significado.

As coisas que encontramos são primeiramente, ou seja, originariamente, os instrumentos e os signos que se destacam sobre o fundo de um mundo imediatamente dado. O mundo é antes o mundo "da existência" antes de ser aquele que acedemos pela operação representativa do conhecimento. Existe um "espaço primitivo" (E. Minkowski), que não é objeto construído pelo pensamento, mas, antes, a expressão de uma dinâmica primordial, de uma ligação de existência que atravessa as coisas e as ordena.

## *As Dimensões da Realidade Geográfica*

A geografia não é primordialmente uma ciência, mesmo que se prolongue em um saber. Ela é uma experiência, melhor: um choque sensível, um reencontro do Ser (p. 35) que retine no homem como uma evocação inesquecível de seu destino, e lhe dá seu colorido. "A geografia não é, no fim das contas, uma certa maneira de sermos invadidos pela terra, pelo mar, pela distância, de sermos dominados pela montanha, conduzidos em uma direção, atualizados pela paisagem como presença da Terra?" (p. 39).

A realidade geográfica é experimentada segundo as múltiplas direções, é atingida pelo homem ao deparar-se com os

2 Da mesma forma que Henry Corbin, Dardel traduziu *Dasein* pela expressão "realidade humana".

diversos elementos significativos que são dados ao voltar-se para o mundo vivido. O projeto de Dardel, muito próximo ao do Bachelard dos "sonhos"[3], é também de se dirigir à topografia dessa variação do "imaginário material".

Na medida em que, como disse Dardel, "a geografia autoriza uma fenomenologia do espaço" (p. 25), aprendemos que a realidade geográfica se distribui entre o "espaço material", "o espaço telúrico", "o espaço aquático", "o espaço aéreo" e "o espaço construído", que oferecem cada uma das direções dos sentidos originais da existência humana.

Assim, a *superfície material* é qualificada no âmbito da preocupação humana de colocar as coisas "ao nosso alcance". Ela é caracterizada pelos valores do afastamento e da aproximação, e por aqueles que estão ligados à direção. O espaço em que isso ocorre é o espaço do sentimento e da ação, espaço vivido como distância das coisas e descrito a partir do esforço para se colocar as coisas ao alcance, em que os nomes dos lugares soam de modo afetivo e moral. Os valores do afastamento e da direção determinam a *situação* com a condição de que se apreenda um elemento *dinâmico*: não se trata de uma simples localização topográfica, mas aquilo que corresponde ao projeto de apropriação pelo homem de um ponto da superfície terrestre[4].

O *espaço telúrico* corresponde, segundo Dardel, aos valores de *profundidade*, de *solidez*, e ao mesmo tempo de *plasticidade*, que são encontrados na experiência primitiva do "terrestre". É nesse nível que a dimensão material, substancial, "pastosa" do espaço geográfico se revela de modo exemplar. À profundidade Dardel atribui a qualidade do segredo, da obscuridade, de tudo que resiste à constituição do mundo humano, que é por natureza um mundo do aberto e do artifício. Assim ergue-se, do telúrico, a floresta, os espaços subterrâneos, que inscrevem, na realidade geográfica, uma zona de sombra.

Se o espaço telúrico denota o estável, o repouso, a imobilidade, o *espaço aquático*, ao contrário, desenvolve os valores da vida e do movimento do tempo. O espaço líquido é um espaço móvel, ao mesmo tempo líquido e portante. O conteúdo

3 *L'Eau et les rêves*, Paris: J. Corti, 1942. *La Terre et les rêveries du repos*, Paris: J. Corti, 1948.

4 Ver também E. Dardel, *L'Histoire, science du concret*, Paris: PUF, 1946, p. 84-85.

ontológico do elemento líquido aparece exemplarmente nos *ritmos* (ondas, marés, água corrente), que "fazem aparecer o tempo como matéria da existência" (p. 22).

Porém é o *espaço aéreo* a atmosfera que envolve a existência fornecendo sua dimensão afetiva mais apropriada. Luz, obscuridade, cores, odores, sonoridades, temperaturas determinam um espaço "estético" – da sensualidade, diria Dardel – em que as ressonâncias expressivas são imediatamente carregadas de símbolos. O voo da noite, a imobilidade gelada dos cumes nevados atinge o ser humano viajante no âmago de seu sonho e de suas penas.

Enfim, o homem encontra o homem, em suas obras, em seus traços: *espaço construído*, produto da história, apresentado por Dardel como um sistema de amarrações e de determinações humanas que ao dotar a Terra de artifícios lhe dão a aparência de uma face, e a apresentam como uma paisagem. O hábitat, as culturas, as vias de comunicação, animam a Terra, lhe fornecem uma dinâmica que autoriza a se falar em um passado e em um futuro. A estrada, diz Dardel, "reconstrói o espaço dando-lhe um 'sentido', na dupla acepção do termo: um *significado* expresso em uma *direção*" (p. 29). Quando encontra uma marca humana sobre o solo, o geógrafo descobre de fato um conjunto de valores, frente aos quais se elevarão os problemas de interpretação e de diálogo.

## *"Ser na Paisagem"*

Está claro, contudo, que essas dimensões e esses valores são acessíveis sempre "imediatamente", ou seja, no âmbito de uma "pré-compreensão originária" do espaço como mundo, antes mesmo que se constitua a representação objetiva própria da ciência. Nessa experiência direta do *aspecto* das coisas, se apresenta um nível do ser que escapa à ciência.

Talvez seja frente ao espaço das águas que se mostra melhor a insuficiência de uma atitude puramente intelectual, de um saber que, instrumentado pela razão, reifica complacentemente os fenômenos. [...] O movimento das vagas, que para a ciência é uma oscilação sem deslocamento material, age sobre nossa visão como um deslocamento real. Quem tem a razão aqui, a ciência que tende a reduzir o mundo a um mecanismo ou a experiência vivida que se apropria do mundo exterior ao nível do fenômeno? E como rejeitar, sem mais restrições, como falsas aparências essas que surgem ao nosso encontro, nesses confins do espaço úmido e do espaço aéreo onde dançam ligeiramente os reflexos, as sombras, os vapores, as brumas despertando nossa sensibilidade ao fantástico do mundo? (p. 23).

No fundo, quem tem razão? A ciência – o entendimento que analisa –, ou as aparências sensíveis que preenchem o olhar com seu aspecto imediato? Há manifestadamente, para Dardel, uma verdade das aparências, porque elas não são ilusões, mas a *fisionomia* do fenômeno. Ora, a essa filosofia só se pode aceder a partir de um encontro estético. A análise de Dardel o conduz a uma posição quase romântica: a sensibilidade torna possível o acordo, a reconciliação, do homem com o próprio movimento do mundo, expressão de uma alma sempre obrigada ao segredo. Bachelard experimentará mais tarde a mesma admiração que Dardel diante do poder de *impacto* da imagem poética, que além de toda relação de causalidade, e também sem os recursos possibilitados pelas lições do pensamento científico, reúne o mundo e o homem, o homem e o homem, numa brusquidão "flambada do ser"[5].

Se, por consequência, Dardel opõe o espaço geográfico ao espaço da objetivação científica, é porque quer "salvar" o mundo sensível, que é o espaço humano. "Nesse sentido, podemos dizer que o espaço concreto da geografia nos libera do espaço, do espaço infinito, desumano, do geômetra ou do astrônomo. Ele nos coloca no espaço em nossa dimensão, em um espaço que se dá e que responde, espaço generoso e vivo aberto diante de nós" (p. 26).

O mundo geográfico é pré-galileano, a esse título Dardel o apresenta, finalmente, sob a forma de *paisagem*. "são todos os elementos geográficos que se congregam na paisagem. [...]

5 G. Bachelard. *La Poétique de l'espace*, Paris: PUF, 1957, p. 2. [N. da T.: Publicado em português como *A Poética do Espaço*, São Paulo: Martins Fontes, 1993.]

A paisagem é a geografia compreendida como o que está em torno do homem, como ambiente terrestre" (p. 30).

A "geografia" não é aqui a disciplina científica, mas a realidade objetiva que é o lugar em que se desenrola a existência humana. Da mesma maneira, a paisagem não é designada como a imagem subjetiva de uma região (*contrée*) que podemos observar a partir de um ponto de vista elevado, segundo a definição clássica. A paisagem é a manifestação do movimento interno do mundo.

Afirmando que "a paisagem não é, em sua essência, feita para se olhar" (p. 32), Dardel pretende indicar que a paisagem constitui uma totalidade própria que responde à inserção do homem no mundo. É através da paisagem que o homem toma consciência do fato de que *habita* a Terra. "Ela [a paisagem] coloca em questão a totalidade do ser humano, suas ligações existenciais com a Terra, ou, se preferirmos, sua geograficidade original: a Terra como lugar, base e meio de sua realização" (p. 31).

Dardel reencontra, adaptando-a ao contexto de uma hermenêutica da existência, a grande intuição dos filósofos da natureza diante da paisagem, de Goethe, de Humboldt, aquela que conduziu Carus a ver na pintura da paisagem uma "imagem da vida na Terra (*Erdlebenbild*)"[6]. A paisagem se apresenta como uma totalidade expressiva, ela é atravessada por um "espírito" que se concentra nela e a constitui como lugar de eleição, em uma consonância mágica com a espera humana.

Se a paisagem não é uma simples justaposição de elementos disparatados, se ela se apresenta como uma "impressão de conjunto", como totalidade, é preciso compreender que essa totalidade só é acessível aos sentidos, e mesmo ao sentimento, porque ela se dá unicamente sob a forma de uma "tonalidade afetiva dominante". De tal modo que no fundo compreender uma paisagem é "ser-na-paisagem", está "no ser", é ser atravessado por ela, em "uma relação que afeta a carne e o sangue", diz Dardel (p. 31), esse ser invadido por sua cor fundamental que compõe a dinâmica e o ritmo de sua existência.

6 C. G. Carus, Septième lettre sur la peinture de paysage, em C. G. Carus; C. D. Friedrich, *De la peinture de paysage dans l'Allemagne romantique*, Paris: Klincksiek, 1983, p. 109.

## A TERRA: GEOGRAFIA E HISTÓRIA

### *A Geograficidade*

Dardel liga a paisagem àquilo que chama de "geograficidade" humana. A escolha desse termo não é gratuita. Ele significa a inserção do elemento terrestre entre as dimensões fundamentais da existência humana, como a noção de "historicidade" implica na consciência que o ser humano tem de sua situação irremediavelmente temporal. É necessário, lembra-nos, "que o homem se sinta e se saiba ligado à Terra como ser chamado a se realizar em sua condição terrestre" (p. 33).

A noção de historicidade é a formulação filosófica (Dardel a recebeu de Heidegger, mas também de Jaspers, de Kierkegaard) da tomada de consciência pela época de que o destino do homem é que ele se realize historicamente. Essa compreensão histórica do mundo vai outorgar a presença ao *Existir*.

> Ser, não pode consistir para o homem em persistir simplesmente no ser. Ser é ter o ser, é ter decisões a tomar, agir ou se abster, resistir ou ousar. Deixar-se viver, evitar as decisões ou simplesmente as questões, ser sem combate nem problema, é precisamente perder sua historicidade, fugir de seu destino, recair sob a determinação dos fatores naturais. O Devir designa essa intensidade no ser, própria a um existente que ultrapassa o estado da natureza e se determina a si mesmo. Sua historicidade [...] responde a uma tensão interior que não se ajusta a seu ser, mas é o seu próprio fundamento[7].

A história também só pode ser, para cada um de nós, concreta, ela nos concerne pessoalmente, nos revela nosso presente, quer dizer, a nossa tarefa, a nossa responsabilidade diante de nossa existência.

Ora, essa autorrealização, que *é* a existência na atualidade, tem lugar após uma *situação*, ela se manifesta através de uma *espacialização*[8]. A existência é *movimento*, ela inicia um modo de presença na Terra que fará de si ao mesmo tempo um suporte

7 E. Dardel, *L'Histoire, science du concret*, p. 19.
8 Idem, p. 84-85.

à existência e um elemento de seu desenvolvimento. O paralelo terminológico estabelecido por Dardel entre a "geograficidade" e a "historicidade" é a expressão de uma unidade profunda do terrestre e do histórico, assunção pelo homem de seu destino. "Toda espacialização geográfica, porque é concreta e atualiza o próprio homem em sua existência e porque nela o homem se supera e se evade, comporta também uma temporalização, uma história, um acontecimento"[9].

A geografia é originalmente a própria existência que, antes de qualquer representação, se atualiza espacializando-se. Mas nos resta compreender o *status* assinalado por Dardel à Terra, pois ele afirma que ela é uma possibilidade essencial do destino do ser humano.

## *A Terra, Base da Existência Humana*

A Terra, para Dardel, não é um planeta. Ela se apresenta como o elemento imediato e primordial no qual se mediatisa toda a existência humana. Com a Terra o homem "se entende de imediato" (p.94). A Terra é como o solo fundamental, a origem a partir da qual todo conhecimento e toda a existência podem se elevar e tomar sentido. Nesta, ela não é o corpo móvel que percorre o espaço vazio e infinito do astrônomo: ela é a *base*, diz Dardel citando E. Lévinas, com a qual um pacto mudo e secreto definitivamente nos une. A Terra é, para cada um de nós, nossa própria possibilidade.

> A Terra, como base, é o advento do sujeito, fundamento de toda a consciência a despertar a si mesma; anterior a toda objetivação, ela se mescla a toda tomada de consciência, ela é para o homem aquilo que ele surge no ser, aquilo sobre o qual ele erige todas as suas obras, o solo de seu hábitat, os materiais de sua casa, o objeto de seu penar, aquilo a que ele adapta sua preocupação de construir e de erigir. (p. 41).

É essa afirmação da Terra como base "transcendental" que nos proíbe de considerá-la como um "objeto", e consequente-

9 Idem, *L'Homme et la terre: nature de la réalité geographique*, p. 45.

mente conduz Dardel, em um gesto pós-husserliano[10], a apresentar a Terra como o referencial absolutamente em repouso a partir do qual todos os movimentos e a própria noção de movimento podem tomar sentido.

Contudo é essa mesma afirmação (a Terra como base) que consigna às mediatizações da existência humana seu alcance significativo e sua polaridade. Dardel vê a Terra segundo uma dupla perspectiva: ela é ao mesmo tempo *morada* do homem, quer dizer, o mundo que historicamente habita, e o fundo obscuro, o misterioso reservado ao ser a partir dos quais um mundo pode se desenvolver, mas que ele jamais esgota. Pode ser, sob esse olhar, útil esclarecer a conjunção efetuada por Dardel dessas duas perspectivas, evocando suas fontes diretas e indiretas.

## A Terra como Morada

Se Eric Dardel não cita Kant o objetivo que ele atribui à ciência geográfica o aproxima da perspectiva kantiana: nos dois casos se trata de aprender o ser humano em sua *condição terrestre*, trata-se de fazer do homem um habitante da Terra, para que ele possa aprender o sentido real de sua liberdade. A Terra é percebida como o "mundo humano", mundo no qual a humanidade desenvolve sua história como uma obra.

Falemos nos termos segundo os quais a geografia é vista por Kant dentro dessa perspectiva educadora. A educação é fundamentalmente a educação *da* liberdade. Ela é o exercício que permite ao homem realizar uma faculdade que está presente nele. A educação atualiza a liberdade humana conduzindo-a segundo um caminhamento racional em direção à autonomia. Igualmente, a educação será a experiência orientada no sentido de que aquele ser humano vai aprender a se servir de seu entendimento, a utilizar as regras para dirigir sua vida. A geografia tem lugar nesse conjunto pedagógico progressivo, em que ela tem um papel particular. A geografia é a "descrição da Terra", ela apresenta aos alunos, de maneira antecipada, o que será o

10 E. Husserl, L'Arche-originaire Terre ne se meut pas, *La Terre ne se meut pas*, Paris: Minuit, 1989. (Trata-se de uma tradução do manuscrito de maio de 1934 publicado em 1940 por M. Farber.)

*teatro*, o lugar concreto de sua existência futura. A geografia fornece as informações sobre o que é a Terra realmente, na diversidade de seus sítios e de seus costumes, e ensina aos alunos as maneiras de "frequentar o mundo" para não se ficar perdido, para se conduzir de modo "pragmático". Consequentemente, no âmbito da geografia, a relação dos homens com a Terra possui um alcance muito preciso: eles aprendem o "domínio real" em que sua liberdade (que enquanto seres racionais possui um valor incondicional, absoluto) vai poder se efetuar, ou seja, tornar-se uma realidade. Pela geografia, o homem aprende sua situação de ser finito, de criatura terrestre que compartilha um mundo com outras criaturas. Ele aprende agora que a Terra é a morada do homem. Nesse sentido, o saber geográfico não é um saber "teórico" como os outros: ele assume imediatamente um valor prático, ao mesmo tempo pragmático e moral. Dardel compartilha dessa visão da liberdade situada sobre a Terra, em um mundo, que deve passar por essa situação para se efetuar plenamente. Também, essa dimensão pragmática e cosmológica da geografia, a encontramos entre nós. Mas enquanto Kant, na perspectiva da *Aufklärung*, vê a Terra como o suporte de uma história como soma positiva, a da ascensão futura da humanidade para a sua liberdade, Eric Dardel exprime a mais nítida consciência de que se deve salvaguardar a morada ameaçada por essa história que está por vir.

Com efeito, no momento em que o progresso tecnocientífico nos permite percorrer a Terra em todos os sentidos e agenciá-la, a humanidade perdeu a inteligência nativa com a Terra que era, nos diz Dardel, sua vocação primordial. A ciência objetiva os fenômenos terrestres, mas ao destacá-los do instante em que emergem do horizonte concreto do mundo, nesse momento ela perde o significado vívido sob o olhar. A terra torna-se "matéria primordial", "fonte de energia" (p. 92), está integrada a um projeto de exploração técnica do qual Dardel assinala que com seus efeitos destrutivos esquece aquilo que é sua intencionalidade original: habitar a Terra. A ciência procede de uma "inquietação", de um "interesse existencial", que negligencia. A geografia, desse esquecimento, recebe sua nova vocação, segundo Dardel: em um esforço de memória, na esteira de uma preocupação, que é ao mesmo tempo apelo para uma intimidade do Homem com a Terra. A geografia restitui ao conhecimento científico seu significado cosmológico. Ela não pode, sob esse olhar, se reduzir a uma operação de objetivação científica.

> Entregando-se sem reservas à ciência, ela se exporia ao que Jaspers chama de "uma nova visão mítica", esquecendo-se de que uma atitude científica objetiva visa a uma compreensão total do mundo que não pode deixar de ser também moral, estética, espiritual. O frio isolamento cósmico do espectador combina mal com a finitude e a solidão moral do homem em sua existência efetiva, com a exigência concreta de sua morada terrestre (p. 97).

A geografia deve conduzir o homem a "compreender" a Terra: sua vocação é igualmente o conhecimento da consciência de seus limites. O real do qual se ocupa a geografia não pode ser inteiramente objetivado, seu objeto se mantém em um sentido inacessível, diz Dardel (p. 89). : na Terra é necessário experimentar um sentimento que se assemelha ao *respeito*. Prolongar esse sentimento lhe dando a forma de uma língua comunicável, tal será agora a tarefa da geografia.

Entretanto, cabe perguntar: será que ainda podemos fazer isso? É o comentário da obra heideggeriana que permitirá a Dardel desenvolver uma resposta para essa questão. O texto de Heidegger, *A Origem da Obra de Arte*, dá lugar a uma leitura muito esclarecedora por parte de Dardel, em que o discurso geográfico é comparado de modo explícito e significativo com o que pode ressoar nele a partir de uma carga ontológica decisiva.

## A Terra como Mistério

Encontra-se em Heidegger o tema da Terra como mundo no qual a humanidade existe, assim como o pensamento da Terra como lar originário a partir do qual a humanidade se realiza. A Terra é efetivamente apresentada por Heidegger como *Heimat*, quer dizer, como lar que cotidianamente se habita (e não como solo natal biológico). Porém Heidegger *distingue* Mundo e Terra: "O mundo se funda sobre a terra e a terra surge através do mundo"[11].

11 L'Origine de l'oeuvre d'art, *Chemins qui mènent nulle part*, Paris: Gallimard, 1962, p. 52.

E, sobretudo, a Terra é apresentada por Heidegger como aquilo que *escapa* ao mundo, aquilo que recusa o mundo: "A terra só aparece abertamente iluminada como ela mesma lá onde é resguardada e preservada como a essencialmente imperscrutável [*Unerschließbare*], que não se entrega a nenhuma exploração [*Erschließung*], quer dizer, mantém-se continuamente encerrada [*verschlossen*]"[12]. Essa dimensão será apropriada por Dardel. A terra é o assentamento do mundo, mas um assentamento sempre noturno e não manifesto. Ela é como um tipo de "recurso" do mundo, mas que o mundo e a história não começam.

É necessário enfocar, segundo Dardel, essa relação da Terra e do Mundo como um *conflito*, um conflito entre um conjunto de significados disponíveis (o mundo) e aquilo que resiste absolutamente à significação (a Terra). "O homem está em um combate incessante, é o dia que dá às coisas um sentido, uma grandeza, um afastamento, fazendo emergir um mundo, é a noite, da 'Terra', fundo escuro, a que retorna a obra humana quando, abandonada, volta a ser pedra, madeira e metal" (p. 42).

O mundo é definido como um conjunto de possibilidades, concernentes mais às ações práticas cotidianas que às escolhas morais e políticas. *Um* mundo é também o conjunto das direções da ação e do pensamento que determinam uma *época* específica da história. No entanto ocorre sempre um conflito entre esse mundo, que não passa de *um* mundo, e a Terra. Frente a frente com esse mundo, a Terra é um fundo impassível, a reserva não histórica e indiferente à qual o mundo deve arrebatar para ser. A Terra "resiste" ao sentido particular que lhe deseja atribuir o mundo histórico no qual ela é percebida, ou, melhor, no qual ela é percebida como lhe escapando. É desse ponto preciso que a geografia recebe, por parte de Dardel, sua inscrição na perspectiva de uma ontologia da historicidade.

Quando queremos reduzir o geográfico a um conhecimento puramente objetivo, o elemento propriamente terrestre da terra se dissipa. As noções e as leis que podemos identificar só mantêm o

12 Este trecho foi retirado da dissertação de mestrado de Laura de Borba Mosburger intitulada "A Origem da Obra de Arte de Heidegger", defendida junto ao Programa de Pós-Graduação em Filosofia da Universidade Federal do Paraná, Curitiba, 2007.

seu valor se o arrancamos num combate a uma coisa que continua a se dissimular, a uma existência bruta. [...] toda descoberta da Terra, toda "geografia", ao mesmo tempo que é, de alguma maneira, concessão à Terra, abandona a fonte que nos faz existir, manifesta nossa historicidade fundamental (p. 43).

A Terra é, para Dardel, na sequência de Heidegger, algo como a "retirada" ou sombreamento da luz. Há uma opacidade no elemento terrestre, que aparece como tal em qualquer manifestação: a gravidade, a radiação característica de determinada cor, por exemplo, não podem ser realmente alcançados por uma medição analítica, mas somente percebidos e provados na atmosfera e tonalidade particular de um encontro, ou seja, precisamente para além de qualquer significado particular. Assim, em uma casa, você pode detalhar o uso, as funções, o estilo, que são os elementos significativos, porém há também a presença maciça dessa casa que habita no espaço ao redor dela. Essa dimensão só pode ser acessada pela presença; a análise, essencialmente, a falseia. Do mesmo modo, a Terra, à margem de qualquer discurso, não pode ser mostrada, e parece impenetrável, como disse Dardel, ele evoca o "*não* significado da Terra para o homem, como um impenetrável mistério da natureza terrestre" (p. 16).

Assim, o terrestre corresponde ao elemento bruto de onde se ergue a história humana, mas que tende a "deshistoricizar" as decisões que constituem o mundo atribuindo-as à dispersão e à usura. O terrestre é o elemento inumano que coloca a história como um problema para o homem. Que a Terra seja apresentada como uma possibilidade essencial do destino humano por Dardel, que a geografia seja o intermediário inevitável entre a humanidade e ela mesma em sua tarefa de existir historicamente, significa agora precisamente: que o mundo humano se dirige sem refúgio para a contingência de suas escolhas, que a geografia não tem outra vocação que não seja a de recordar infatigavelmente aos homens a contingência irremediável das situações com que se defrontam e a responsabilidade irreversível diante desse fato. Sob esse olhar, a geografia determina uma *moral*. Porque a geografia é a própria existência.

## O SABER GEOGRÁFICO

A terra não é para Dardel um *objeto*, mas, sobretudo, o limite de toda objetividade e horizonte na qual ela se recorta. É necessário entender que a Terra não pode ser vista como o produto de uma operação de objetivação, que a reduzirá a uma imagem mensurável sob o olhar, ou seja, uma representação. A Terra contraria a vontade de dominar, correlativa à objetivação tecnocientífica. Certamente Dardel nos adverte muitas vezes que a Terra tem um *rosto* (o espaço geográfico é o rosto da Terra). E um rosto não é o que é visado por um olhar? Não é, também, uma imagem, portanto um objeto?

Se for necessário entender essa metáfora do rosto no seu sentido estrito, será necessário reconhecer nesse rosto o que excede, em seu próprio coração, qualquer imagem e qualquer apreensão. O rosto não se reduz apenas à exterioridade material da superfície em que pode ser vista. Ele não é o efeito mecânico de um concurso de causas naturais. O rosto não é "manejável". Em sua própria animação, em suas dobras particulares que o tornam uma figura de exceção, o rosto exprime e se exprime. É o que institui o rosto como rosto, é o que ele assinala: o contemplado, de onde acessamos a manifestação de uma interioridade, de uma intenção expressiva contrariamente impenetrável. Remeter-se à Terra sob a forma de um rosto é, portanto, reconhecer os traços da presença de um "espírito", é acolher o testemunho, em uma atitude mais de escuta e de diálogo do que de abstração esquematizadora.

Mas ao afirmar que a realidade terrestre, o espaço terrestre, é um corpo portador de sentido mais do que um objeto regido por um sistema de leis, Dardel coloca o saber geográfico sobretudo no horizonte das disciplinas hermenêuticas que no das ciências empírico-analíticas[13]. A geografia é um saber que deve, segundo Dardel, mobilizar de maneira preferencial as técnicas da decifração e da leitura, da compreensão e da interpretação, mais do que de uma ciência ciosa ao regime da explicação e da dedução.

13 J. Ladrière, *L'Articulation du sens*, t. 1, Paris: Ed. du Cerf, 1984.

*Explicar e Compreender*

Percorrendo a Terra, o geógrafo se depara com uma linguagem, objetivamente inscrita na matéria e no espaço: um texto. "o termo grego sugere que a Terra é um *texto* a decifrar, que o desenho da costa, os recortes da montanha, as sinuosidades dos rios, formam os signos desse texto. O conhecimento geográfico tem por objeto esclarecer esses signos" (p. 2) .

A geografia não é, principalmente, uma ciência da natureza, segundo o modelo herdado da física clássica. A geografia não tem como *primeira* vocação *explicar* o fenômeno terrestre. Certamente pode-se tentar explicar um texto, ou seja, um conjunto de regras traçadas sobre um suporte, remetendo-se a um encadeamento e a um concurso de causas e de pressões anteriores (naturais e humanas) das quais ele será um produto necessário, o que não significa dizer que ele terá um *sentido*. Isso é tudo o que separa o puro fato físico do fenômeno de expressão, e não saberíamos ler o texto como um simples fato físico. Tentaremos esclarecer a distinção que aqui está em jogo: deve-se dizer que a máquina que reproduz um registro "compreende" o que ela "lê", ou não podemos tampouco lidar com as repercussões mecânicas de um conjunto de condições físicas, ou seja, com um fenômeno diretamente redutível ao dispositivo que produz o processo? Parece, com efeito, que a máquina reage ao sinal previamente inscrito, mas que ela não apreende seu significado. É necessário, para que o sentido seja atingido, que a materialidade do traço signalético seja ultrapassado, que em seguida aos traços materiais seja integrada uma materialidade subjacente, que restitua a unidade; é necessário um ser que, recebendo o sinal, esteja pronto para relacioná-lo com um valor. Compreender o significado do que é transmitido na expressão (aqui: um "texto"), não é reagir sob a pressão exterior de um estímulo, é observar a partir do ponto de vista de um valor, ou seja, de um sistema de expectativas e de antecipações, que permitam interpretá-lo.

A noção de explicação nas ciências da natureza leva a uma dupla motivação na análise dos fenômenos. A explicação se caracteriza como chega à vista, por seu aspecto "reducionista". Se explicar é enunciar a causa e mostrar a necessidade da relação entre causa e efeito, isso significa que o fenômeno será explicado quando for relacionado com um conjunto de fatos considerados como logicamente antecedentes, por uma relação de inferência. O ideal da explicação é a identificação, ou seja, a integração do fenômeno a um sistema de relações lógicas, o que também significa sua redução a um momento no desenvolvimento dedutivo. Toda "emergência" do fenômeno relacionada às categorias colocadas *a priori* pela teoria não pode ser, sob esse olhar, provisória. O fato recebe seu sentido da teoria que integra, ele não é por si portador de um significado inaugural, do qual será necessário decifrá-lo.

É isso que dá o sentido preciso da palavra "natureza", na expressão "ciências da natureza". A partir de Newton a causa não é mais compreendida como esse poder misterioso que produz o fenômeno e o anima. A causalidade é estritamente designada pela relação mensurável entre os fenômenos que se sucedem. A natureza é agora definida como o conjunto dos fenômenos unidos por um sistema de leis, em uma dimensão de pura horizontalidade. O fenômeno natural perde a profundidade de seu "por que", e é concernido apenas pela questão do "como" de sua aparição.

O acesso à atitude explicativa pressupõe, como sabemos, uma operação decisiva, que é o da ruptura com todo o compromisso pessoal com o fenômeno. A objetividade da explicação exige esse distanciamento de si e das coisas, essa ironia maliciosa (da qual fala Bachelard) frente a frente com o poder de sedução das aparências, essa despersonalização do olhar que, ao mesmo tempo, conduz ao reconhecimento da ordem natural como tal, e isola toda implicação no registro dos valores.

Ora, se a geografia não é *primeiramente* para Dardel uma tentativa de explicação causal é porque ela se nutre de uma experiência irredutível que é um "encontro inesquecível" com a Terra. A experiência geográfica é primeiramente colocar-se como presença afetiva com a singularidade de um lugar e de uma "fisionomia", imediatamente portadora de um significado.

A experiência geográfica não é, primordialmente, a aplicação de um sistema de categorias e de leis sobre um conjunto de objetos que seriam integrados a um registro teórico. Essa experiência possui todas as características de uma emoção, ou seja, de uma deposição do eu em contato com o mundo exterior, que permite ao geógrafo se deixar levar, ser invadido pela tonalidade própria do lugar. A intencionalidade secreta que anima o saber geográfico consiste, segundo Dardel, em articular surpresa originária com uma palavra comunicável.

Mais que isso, a experiência geográfica é apresentada por Dardel como um encontro profundamente *interpessoal*. "O homem procura a Terra, ele a espera e a chama com todo o seu ser. Antes mesmo de tê-la encontrado, ele vai adiante dela e a *reconhece*. [...] O que o homem encontra assim na Terra é um "rosto", um certo acolhimento. É porque ele exprime sua decepção quando ela não lhe apresenta mais que a pura objetividade de um existente bruto" (p. 44).

É nessa inquietude de uma ligação íntima que se dá lugar ao encontro com as realidades terrestres. E esse "reconhecimento" desejado com tanto ardor pelo ser humano, o que pode significar senão a segurança, dada pela Terra, da possibilidade de o homem habitá-la? Queremos, distantes da despersonalização das relações do sujeito e do objeto requerida pelas ciências da natureza, a relação do homem com a Terra imediatamente "interessada"; ela coloca em jogo, de imediato, os valores implicados pelo homem em sua existência. Também, na sua busca por uma confirmação e um acolhimento, pela realidade terrestre, de seus projetos, é que o homem deve exercer a capacidade de apreender "um apelo que vem do solo, da onda, da floresta, uma oportunidade ou uma recusa, um poder, uma presença" (p. 2) . A singularidade expressiva do lugar reclama da parte do ser humano uma capacidade compreensiva.

"Compreender" um lugar (é dizer, para Dardel, que o vemos; uma paisagem) consiste em traduzir a emoção bruta que esse encontro faz nascer e crescer em nós, em outra linguagem, possuidora de um poder de elucidação. Compreender é interpretar um sentido imediatamente percebido porque pertence ao próprio lugar. É articular uma apreensão, que é o signo de uma concordância súbita do ritmo de nosso ser e da forma do mundo. A compreensão tem lugar porque os diferentes aspectos ou os diferentes momentos do fenômeno (forma, plástica, desenvolvimento sonoro da frase, "texto" característico da paisagem) são agrupados na unidade de uma ideia ou de uma imagem que dão ao fenômeno sua característica de totalidade. Compreender é também retornar ao cômodo secreto que constitui a unidade real da pluralidade espacial e temporal na qual se dispersa o fenômeno. Voltamos-nos para o fenômeno percebendo a unidade de um tema, de uma intenção, de tal modo que cada aspecto distinguido na atividade de decodificação será apreendido como uma parte expressiva do todo ao qual ele se remete. No caso da geografia, para Dardel, que se apoia, de modo significativo, sobre duas descrições de Vidal de la Blache, a compreensão resulta da possibilidade de ordenar os diversos aspectos da região sob uma *imagem*, em outros termos, uma unidade "melódica" implícita ou explícita, que configura a "impressão geral" sobre o lugar. A Terra se distribui em formas múltiplas, que o saber geográfico tem como objetivo exprimir. O saber geográfico é a repercussão em uma linguagem humana de uma linguagem fundamental que constitui a Terra. Ou, mais do que isso, ele é o eco da repercussão que provoca no homem o encontro com o texto terrestre, ou seja, o desenvolvimento em formas dessa linguagem que emerge do fundo escuro do ser.

## *O Fundamento Ontológico da Compreensão Geográfica*

Anteriormente à ciência há uma presença do terrestre que é o ser-no-mundo: "Entre o Homem e a Terra permanece e continua uma espécie de cumplicidade no ser" (p. 6). Essa cumplicidade é vivida mais que exprimida, ela rege discretamente nossas condutas e nossos pensamentos, dando-lhes a sua medida. Constantemente presente, na maioria das vezes ela escapa à consciência, ou à representação. "A realidade geográfica exige uma adesão total do sujeito, através de sua vida afetiva, de seu corpo, de seus hábitos, que ele chega a esquecê-los, como pode esquecer sua própria vida orgânica" (p. 34).

O saber geográfico tem por objetivo elucidar essa presença imediata da Terra, em suas diversas modalidades. Mas o problema é saber como um discurso pode dar conta, justamente, daquilo que insiste em escapar de todos os discursos. Qual deve ser a forma do discurso geográfico para que possa restituir o encontro pessoal do ser humano e de sua morada terrestre? Há na paisagem, diz Dardel, "uma fisionomia, um olhar, uma escuta, como uma expectativa ou uma lembrança" (p. 33). Como avançar em direção a essa escuta, suscitar essa memória do lugar, repercutir na linguagem as peripécias dessa intimidade?

Fica claro, imediatamente, que esse tipo de exigência contesta toda filiação da geografia ao registro das ciências da natureza, segundo a concepção positivista em que ela se desenvolveu. Ela implica uma recusa de toda neutralização axiológica: o acesso ao mundo geográfico, ao contrário, clama por uma assunção ao horizonte dos valores. A geografia é uma disciplina de interpretação, em que as possibilidades para o conhecimento residem menos em sua aptidão para formular leis objetivas do espaço e mais por sua preocupação perpétua de ligar a consciência dessas leis a uma experiência viva do mundo de onde elas emergem e na qual elas adquirem um sentido.

Isso coloca em questão a relação entre a geografia e a *verdade*, que não pode ser compreendida como o correlato e o produto de um esforço metódico em busca da objetivação dos fenômenos; ela é, muito mais, a expressão da qualidade da inserção no ser que conhece um sujeito. A "verdade" quando trata-se de geografia, segundo Dardel, consiste menos na adequação, exterior, de um discurso a um campo da realidade, que assinala somente uma espécie de *intensidade* da obra a partir da expressão. A "verdade" geográfica está na transferência de um valor (aquele o qual apreendemos a partir do contato com o lugar) mais do que em sua subsunção sob uma noção.

A compreensão e a interpretação se tornam possíveis, e transformam assim a experiência geográfica em um verdadeiro saber, pela "participação" do geógrafo na realidade que ele julga representar. O geógrafo atinge o ser e o exprime porque ele "é". O geógrafo "prova" ele mesmo o que traduzem uma linguagem: ele a "compreende" no sentido de que ele "possui" uma experiência. É próprio das disciplinas hermenêuticas que o sujeito e o objeto se pertençam reciprocamente: assim é com a geografia e com a história para Dardel. A historicidade do ser humano repercute em sua geograficidade, logo, da mesma maneira que a compreensão histórica é possível porque o homem é um ser essencialmente histórico e que encontra a história antes de a reconhecer nas coisas, a compreensão geográfica nada mais é do que o prolongamento e a atualização do ser geográfico do homem, assinala uma aptidão estrutural que é um "poder ser" se lançando diante de suas possibilidades. O espaço geográfico é "compreendido" antes mesmo que se possa estabelecer as "leis", porque ele corresponde à espacialidade da existência humana. "Compreender é, aqui, compreender através do que se compreende e compreender o mundo também segundo o que compreendemos de nós mesmos"[14].

A hermenêutica geográfica de Dardel possui uma dimensão ontológica que ninguém pode anular. Assim, o lugar é compreendido pelo geógrafo porque ele faz parte de suas possibilidades de existência, porque no fundo ele desvela uma possibilidade de ser no mundo, com o qual o geógrafo se comunica "lateralmente". Há uma simpatia originária e indeterminada com a Terra, que torna possível a compreensão das realidades geográficas as mais diversas, tanto que elas são experimentadas como variações de um mesmo ser-no-mundo fundamental do homem, e que permite à consciência douta do geógrafo se comunicar interiormente com as formas ingênuas da presença na paisagem. Desse modo, o problema não consiste em saber se o geógrafo diz a verdade, mas, sobretudo, em reconhecer a verdade de onde ela parte, ou, o que retorna ao mesmo, a experiência originária da qual seu discurso não passa de uma articulação progressiva.

Porém se o saber geográfico deve ser visto como uma empreitada de elucidação relevante a partir da experiência de uma participação primordial, vivida sem poder ser exprimida, agora o discurso encarregado de conduzir essa elucidação não poderá, para chegar a transcrever esse encontro mudo de um universo de sentidos, se contentar com um único registro referencial. O saber geográfico dá forma a uma emoção, o que significa dizer que ele ordena a memória: para restituir a própria natureza desse choque, para guardar a intensidade, a linguagem deverá ir direto à presença da *imagem*, a seu poder de evocação e de fixação de uma direção do sentido. A força

14 *L'Histoire: science du concret*, p. 80.

da evocação não faz com que se perca o rigor da observação, parece dizer Dardel, para que possamos, por exemplo, passar sem esforço da linguagem do geógrafo para a linguagem do poeta, atingindo assim "uma fronteira que a ciência do laboratório nos proibirá de atravessar, mas que ultrapassaremos, em direção a um mundo irreal em que uma geografia permanece subjacente" (p. 4). Ensaiemos, agora, indicar aquela que poderá ser uma linguagem capaz de repercutir pela evocação a "participação" do geógrafo no elemento terrestre. Nos confins dessas diferentes formas de experiência do sentido que são a ciência, o mito e a arte, a geografia arrisca de encontrar, para Dardel, seu verdadeiro *status*.

## *O Geográfico, o Mítico e o Estético*

A geografia originária é uma "geografia mítica". A história da geografia, certamente, não se reduz a essa primeira etapa: sucedem-na, na terminologia de Dardel, a "geografia profética", a "geografia heroica" e a geografia das descobertas, depois a "geografia científica". Contudo, sob essa aparente sucessão cronológica, irreversível em determinado sentido, é necessário perceber as modalidades permanentes da relação do homem com a Terra em que a dignidade ontológica é quase equivalente. Essas caracterizações cronológicas possuem simultaneamente um significado "arqueológico".

> O que nos importa, antes de tudo, é o despertar de uma consciência geográfica através das diferentes intenções sob as quais aparece ao homem a fisionomia da Terra. Trata-se menos de períodos cronológicos do que de atitudes duráveis do espírito humano frente a frente com a realidade circundante e cotidiana, em correlação com as formas dominantes da sensibilidade, do pensamento e da crença de uma época ou de uma civilização (p. 47).

Entre as diferentes possibilidades de se relatar a realidade terrestre, Dardel procura isolar a "geografia mítica", fundadora, opondo-a à atitude profética, à atitude heroica e à atitude científica. Estas três últimas marcam um "desencantamento": elas romperam o "charme" que qualificava a cumplicidade primordial do homem e da Terra no universo mítico. "Essas três atitudes diferentes, que as circunstâncias da história misturarão às vezes, têm em comum uma certa distância tomada pelo homem em relação à Terra, uma certa libertação do homem relativa ao terrestre [...] É sobre esse processo de desagregação que devemos falar agora" (p. 66).

O interesse que Dardel tem pelo mito não se contradiz. Em muitas ocasiões ele retornará a essa questão, em que ele desenvolve um ponto de vista próximo ao de Maurice Leenhardt, mas também de Van der Leew e de Eliade[15]. Sua concepção fenomenológica do mito conduz Dardel a ver um modo de engajamento primordial no ser, uma ontologia espontânea alternativa à ontologia metodicamente elaborada pela ciência, porém com uma dignidade equivalente.

Quando se trata, para o ser humano, de encontrar na linguagem a emoção nativa que lhe suscita a experiência do lugar, a palavra mítica imediatamente se impõe, prolongando a emoção em palavras e em imagens. O geógrafo deve aprender com o etnólogo, com o historiador das religiões e com o das civilizações uma maneira de se remeter à Terra que lhe é apresentada como um modo primitivo e que, no fundo, o anima sem que ele tenha consciência. Porque o mito "é aquilo que jamais podemos *ver* em nós, a energia secreta de nossas visões de mundo, de nossa devoção, de nossas ideias mais caras"[16]. Não é seguro, consequentemente, que a geografia mítica desapareceu com o movimento de ascensão da geografia acadêmica. A ciência se comunica interiormente com o mito, que é como o coração sensível de onde a ciência se desenvolve. Há, com efeito, uma atualidade do mítico, referente ao fato de que ele designa a zona da experiência primordial que constantemente aflora nas experiências presentes. "Original significa menos anterior do que permanente"[17]. O mito é uma "infância" persistente no homem, ele margeia secretamente sua história, na

15 Para uma evocação do contexto intelectual muito próximo de Eric Dardel, pode se consultar a obra de J. Clifford consagrada a Maurice Leenhardt, *Maurice Leenhardt, personne et mythe em Nouvelle Calédonie*, Paris: Jean-Michel Place, 1987.

16 Le Mythique, d'aprés l'œuvre ethnologique de Maurice Leenhardt, *Diogène*, 7, 1954, p. 70.

17 Idem, p. 56.

periferia de sua memória. Mas o contato das formas sensíveis a revela, a suscita, e permite ao ser humano de aquiescer enfim ao mundo. A geografia talvez seja essa infância, ou o prolongamento acadêmico dessa infância.

A geografia autêntica pode bem se confundir, para Dardel, com a consciência mítica. "O mito [...] nasce [...] dessa apreensão que assalta o homem em meio às coisas... o mítico é a linguagem de um homem que se sente fundamentalmente solidário ao mundo, parte do mundo"[18].

O mito exprime a participação do homem na corrente geral da vida do mundo, ele recoloca o ser humano em uma totalidade, em que a reflexão introduziu uma fenda. O mito se desenvolve *antes* de qualquer separação entre sujeito e objeto, antes mesmo de qualquer narrativa (de um "antes" não cronológico, mas metafísico). Na outra extremidade do percurso do saber, ele reconcilia, sob o modo da afetividade, o ser humano com o mundo que ele venha a atravessar.

Essa experiência de aderência ao mundo se encontra, muito precisamente, no encontro mítico com o espaço, tanto que ele é longamente analisado na obra de Dardel. Podemos destacar a frase seguinte: "Visto que a Terra é a mãe de tudo o que vive, de tudo que *é*, um laço de parentesco une o homem a tudo que o cerca, às árvores, aos animais, até às pedras. A montanha, o vale, a floresta não são simplesmente um quadro, um 'exterior', mesmo que familiar. Eles são o próprio homem. É lá que ele se realiza e se conhece" (p. 49).

O espaço mítico é um espaço substancial, carregado de valores, um espaço sagrado. Ele acolhe e distribui as diferentes correntes de vida ontológicas nas quais se insere a existência humana. Somente ele assegura à realidade humana sua base e sua realização, inscrevendo as direções da existência humana na coesão geral do mundo.

Como, entretanto, o homem prova concretamente sua inserção no mundo? Qual é o elemento que lhe fornece sua justificativa ontológica? A questão deve ser colocada porque a história, paradoxalmente, conduz a geografia a se afastar da Terra: é necessário dar uma chance ao mito. É necessário

18 Idem, p. 53.

revelar a ligação original com a Terra de que carece a geografia moderna, segundo Dardel. É necessário, consequentemente, liberar a zona da experiência e da linguagem em que a geografia poderá encontrar seu fundamento real.

A análise do mito pode nos fornecer uma resposta, sobre a qual Dardel retorna inúmeras vezes[19]. O mito, com efeito, se prolonga e se exprime na figuração plástica. Correlativamente, a experiência nativa do mundo é uma experiência *estética*. A palavra "estética" deve ser aqui tomada naquele sentido mais geral de que: a experiência estética é primordialmente uma sensibilidade às formas do mundo e o sentimento de afinidade profunda que liga o homem a essas formas. "O mundo, lá onde é encontrado por meio das sensações, das emoções, dos sentimentos, das crenças, se manifesta como a vida das formas, na participação estética"[20].

A estética é a primeira ligação do homem com o mundo, seu primeiro modo de se situar e de compreendê-lo. Ela é "a primeira coerência que o homem introduz em seu mundo, a primeira coesão dos seres entre eles"[21]. Contudo, essa "correlação dos seres do mundo por intermédio das formas"[22] acontece antes do discurso, ela é provada, sentida, antes que possa ser formulada de modo reflexivo. E não é claro, além disso, que a reflexão possa exaurir tudo o que oculte a intensidade desse "abandono confiante às ofertas do sensível"[23], "às pulsações do mundo"[24].

A geografia, como experiência e como saber, se apresentará agora sob o modo da consciência estética. Há uma sensibilidade geográfica, que é a expressão de um "acordo" do ser humano com as formas da Terra. Além disso, quando Dardel parece nos conduzir para uma orientação da geografia como um "saber sensível", ele aprova, implicitamente, os efeitos da história da ciência moderna. Sabemos que as transformações da relação

19 Magie, mythe et histoire, *Journal de psychologie normale et pathologique*, 2, 1950. Le Mythique ..., *Diogène*, 7, 1954.
20 Le Mythique..., op. cit., p. 62.
21 L'Ésthétique, comme mode d'existence de l'homme archaïque, *Revue d'histoire et de philosophie religieuse*, 3, 1965, p. 352.
22 Idem, ibidem.
23 Le Mythique..., op. cit., p. 62.
24 L'Esthétique..., op. cit., p. 355.

com a natureza, que foram provocadas pela extensão cultural do modelo "físico-matemático", provocaram, no século XVIII, a afirmação concorrente de outro tipo de relação com a natureza: a percepção estética. J. Ritter[25] mostrou muito bem que é a consciência estética em Baumgarten, Schiller, Carus, que permite à existência humana encontrar a dimensão cósmica, quer dizer, de manter com a Terra essa ligação sensível e prática que dá à existência seu sentido concreto. Ela apreendeu, desde Alexander von Humboldt, essa intenção cósmica, afirmada por ele no instante em que coloca a geografia moderna em uma de suas principais direções. Foi uma intenção idêntica que conduziu Büsching, em suas proposições sobre a geografia, a reivindicar explicitamente a manutenção de seu sentido *visual* até o horizonte, recusando-se a colocar a geografia na perspectiva da astronomia pós-copernicana.

A geografia prolonga essa afirmação dos direitos da consciência estética. Ela é um reflexo da tentativa de restituir ao ser humano a possibilidade de apreender na percepção das coisas a ordem geral do mundo. Longe de destituir o sensível, ela o reconhece como uma das regiões da verdade, ao atribuir às formas o poder de ligar o ser humano ao movimento invisível do real. É, talvez, essa preocupação com as formas que *justifica*, profundamente, a presença da imagem no discurso geográfico, e o recurso constante de Dardel à palavra dos poetas. Porque a geografia, diz Dardel: " não implica somente no reconhecimento da realidade em sua materialidade, ela se conquista como técnica de *irrealização*, sobre a própria realidade" (p. 5)

A imagem não é o excesso subjetivo e arbitrário que vem confundir a descrição e a explicação geográficas. Ela possui esse poder de juntar o ser e a linguagem. A imagem é impregnação recíproca do real e do sentido, ela se refere diretamente à forma, é o próprio sentido no ser. Sob esse aspecto ela é a garantia de uma verdade. A imagem é a turbulência de onde a linguagem nasce para se elevar nas formas do mundo sensível. Transferindo a forma visível, por seu poder de expansão e por seus ritmos, à expressão humana, ela ordena o sentido a seu estado nascente.

25 J. Ritter. *Subjektivität, Sechs, Aufsätze*, Frankfurt am Main: Suhrkamp, 1974.

A geografia, ao mesmo tempo saber, mito e arte, é originária, para Dardel, porque ela é uma das direções possíveis da experiência da promoção da existência humana e do mundo à linguagem. A geografia, constantemente "solicitada entre o conhecimento e a existência" (p. 97), é o recinto de um duplo nascimento: despertar do homem para o mundo, despertar do mundo no homem. Empreitada necessariamente inacabada, como toda infância, recomeçada.

# A Geografia Fenomenológica de Eric Dardel

*Werther Holzer*

Estamos no ano de 1952, o Professor Eric Dardel (1899--1967), diretor do Liceu Jean-Jacques Rousseau, um colégio experimental situado em Mortmorency, acaba de entregar ao filósofo Emile Bréhier um livro para ser publicado na coleção Nouvelle Enciclopédie Philosophique, da qual ele é o organizador. O livro, intitulado *L'Homme et la Terre: nature de la réalité géographique*, não trata de qualquer assunto usualmente abordado pelos filósofos. Seu objetivo é o de fazer uma análise fenomenológica da relação visceral que o homem mantém com a Terra. Seu autor também não é um filósofo, o professor Dardel leciona história e geografia, mas é um estudioso da filosofia, principalmente da obra de Kierkegaard, Jaspers e Heidegger.

O professor também é um acadêmico que defendeu tese de doutorado em 1941, no curso de Letras da Universidade de Paris, com tema que versava sobre a geografia da pesca. Na banca, que aprovou seu trabalho com louvor, estavam Renaudet, Labrousse, Herubel, Sorre e Schimidt. No entanto essa tese não resulta em nenhum artigo publicado, Dardel é eminentemente um educador. No período que vai de 1923 a 1965 ele publicaria meia dúzia de artigos versando sobre temas variados.

O livro que acabara de produzir não era, contudo, o primeiro de sua lavra. Em 1946 a mesma coleção organizada por Bréhier publicara *L'Histoire, science du concret*. No mesmo ano seria editado o volume de divulgação científica, pela coleção Que sais-je, *Les Pêches maritimes*.

Estes livros tiveram com certeza circulação limitada. Os da coleção Nouvelle Enciclopédie Philosophique, não foram reimpressos ou reeditados, ficando esquecidos nas estantes das bibliotecas públicas ou privadas, ou descartados como material inútil.

Uma reedição finalmente veio à luz, mas apenas em 1986, e em italiano. Clara Copeta, vislumbrando a importância do livro de Dardel para uma nova geografia cultural, publica o livro de Dardel acompanhado de artigos, entre outros, de Buttimer, Ferrier e Raffestin, alguns dos quais seriam republicados no *Cahiers de Géographie du Québec*, em 1987.

Na França, uma redescoberta tardia: um extrato do livro de Dardel em uma coletânea chamada *Deux siècles de géographie française*; um brilhante artigo de Besse, em 1988; e, finalmente, a reedição comentada por Besse e Pinchemel, de 1990.

Os fundamentos desse interesse podem ser encontrados, no entanto, muito longe dos ambientes acadêmicos italianos ou franceses. Sua origem pode ser localizada na Universidade de Toronto, onde três jovens professores investigam alternativas epistemológicas para a geografia cultural. Seus nomes: Relph, Tuan e Guelke.

Dardel já falecera quando Relph o cita em sua tese intitulada *The Phenomenon of Place* (O Fenômeno do Lugar), que seria defendida em 1973. Relph foi um pioneiro na discussão sobre a utilização do método fenomenológico pela geografia. Já em 1970 enfatiza a importância do método para renovar a disciplina, apesar de observar o total desconhecimento ou desprezo de seus colegas pelo assunto, com a honrosa exceção de Sauer[1]. Presume-se, portanto, que o autor trava conhecimento com Dardel entre 1970 e 1973.

A real influência que o livro de Dardel teve nas formulações contidas na tese de Relph só nos podem ser esclarecidas pelo próprio autor. O fato é que alguns dos temas mais caros a Dardel

1 Cf. E. Relph, An Inquiry Into the Relations Between Phenomenology and Geography, *Canadian Geographer*, v. 14, n. 3.

passam a freqüentar, por essa época, os trabalhos de Relph, e pouco mais tarde os de Tuan. Natural, pois esses autores têm em comum a paixão pela fenomenologia, representada por Jaspers e Heidegger, entre outros. Mas um tema distante das preocupações centrais desses filósofos perpassa os trabalhos desses geógrafos: o conceito de "lugar".

A tese de Relph se tornaria o livro *Place and Placelessness* (Lugar e Não-Lugar)*, com certeza um marco da geografia humanista e da renovação do interesse pelo conceito de "lugar" por parte dos geógrafos.

Em seu livro Relph se dedica à tarefa inicial de diferenciar as experiências de espaço e de lugar. Entre os seis tipos de espaço que identifica um será minuciosamente estudado: o espaço existencial ou vivido definido como "a estrutura íntima do espaço tal qual nos aparece em nossas experiências concretas de mundo como membros de um grupo cultural, ele é intersubjetivo e, portanto, permeia a todos os membros daquele grupo, pois todos foram socializados de acordo com o conjunto de experiências, signos e símbolos"[2].

Nesse contexto o lugar seria um modo particular de relacionar as diversas experiências de espaço. Particular porque os lugares são singularizados ao atrair e ao concentrar nossas intenções. Ou seja, o significado do espaço, em particular do espaço vivido, provém dos lugares existenciais de nossa experiência imediata[3].

Buscarmos em Tuan essas influências ainda é uma tarefa mais complexa, até porque se o autor desperta mais tardiamente do que Relph para a importância da fenomenologia como método geográfico[4], havia quase dez anos utilizava conceitos de Bachelard em seus artigos. Existe, aliás, um interessante paralelismo entre a carreira e os temas de Dardel e de Bachelard que poderiam resultar em um bom tema de estudos.

* A tradução de *placelessness* para o português é um desafio, pois a palavra, no contexto utilizado por Relph, trata de um "lugar desprovido de significado". Um "lugar sem significado" pode ser traduzido para o português como um "não lugar" (N. da T.).

2 *Place and Placelessness*, p. 12.

3 Idem, p. 28.

4 Cf. Y-F. Tuan, Geography, Phenomenology and the Study of Human Nature, *Canadian Geographer*, v. 15, n. 2.

Em artigo publicado em 1974, intitulado *Space and Place: Humanistic Perspective*, onde Dardel é citado, Tuan daria uma guinada teórico-metodológica. Até aquele momento suas incursões no campo da "percepção ambiental" dedicavam-se à análise dos mundos pessoais a partir, principalmente, da psicologia, em particular da teoria da aprendizagem de Piaget. Nesse artigo, no entanto, o espaço e o lugar são considerados como os conceitos que definem a natureza da geografia. Mais do que isso, pela primeira vez a geografia humanista é explicitamente tratada como subcampo autônomo que tem como referência epistemológica a fenomenologia.

A ideia principal que permearia esse texto, para encontrar posteriormente formulação próxima à de Dardel[5], é a de que tempo e espaço estariam ligados pela noção de distância, e seriam estruturados pela intencionalidade do ser, sendo, portanto, indissociáveis da atividade locomotora. O corpo seria o centro dessa estruturação que não passa de um direcionamento das intenções para um determinado campo.

A concisão exigida por este texto impede maior aprofundamento na obra desses geógrafos humanistas. O fato é que Dardel foi de algum modo uma referência que permitiu a adoção pela geografia norte-americana de um aporte fenomenológico, e que suas ideias permeiam as obras dos mentores da geografia humanista.

Possivelmente o que atraiu esses jovens geógrafos norte-americanos na leitura do livro de Dardel foi o encadeamento entre geografia e fenomenologia que ele oferece. Ele é sem dúvida o melhor tratado de geografia fenomenológica que foi até hoje escrito. O livro é conciso. Estruturado em dois capítulos: o primeiro dedicado ao espaço geográfico, no qual me deterei com mais vagar; o segundo dedicado à história da geografia, que merece um breve comentário.

Comecemos pelo segundo capítulo. Este livro tem sido valorizado como uma obra pioneira da geografia fenomenológica. No entanto há outro aspecto a ser analisado: a atitude do autor perante essa história da geografia é bastante interessante e trata-se de um referencial teórico da discussão que é feita neste texto.

5 Cf. Idem, Thought and Landscape: The Eye and the Mind's Eye, em D. W. Meinig (org.), *The Interpretation of Ordinary Landscapes*.

Segundo o autor:

> Se a geografia como realidade terrestre é o "lugar" da história, uma persistência que ultrapassa o acontecimento, as geografias como concepções do mundo circundante são testemunhos de épocas sucessivas onde elas eram a imagem admitida da Terra. A história da geografia que nós esboçamos aqui não se confunde nem com uma história da descoberta da Terra, nem com o estudo do desenvolvimento da ciência geográfica. O que nos importa, antes de tudo, é o despertar de uma consciência geográfica, através das diferentes intenções sob as quais aparece ao homem a fisionomia da Terra (p. 47).

Segundo essa concepção, os geógrafos, ao configurarem a história da sua disciplina, deveriam se dedicar ao estudo das atitudes humanas duráveis da realidade circundante e cotidiana, antes de preocupar-se com a delimitação de períodos cronológicos. Essas atitudes duráveis resultariam em uma "concepção global do mundo", que teria sentido não se considerando a Terra como um "dado bruto", mas se considerarmos a relação homem/Terra como uma "interpretação", um "horizonte de mundo", uma "base" a partir da qual a consciência parte.

A partir dessa concepção de história da geografia o autor identifica o que seriam as concepções geográficas globais do mundo: teríamos uma geografia mítica, uma geografia heroica, uma "geographie de plein vent" (geografia das velas desfraldadas) e uma geografia científica.

Interessa-nos aqui a "geographie de plein vent", definição utilizada por Lucien Febvre para se opor à "geografia de gabinete", em que o cientista trabalha sobre os documentos produzidos pelos viajantes.

A "geographie de plein vent" seria um capítulo da "geografia heroica" cobrindo extensos períodos da geografia universal, entre eles o período das "grandes navegações", dos séculos XV e XVI. O que moveria essa geografia seria um frenesi do descobrir, que superaria em muito as preocupações apenas políticas ou mercantis. Segundo Dardel "ninguém encarna melhor essa poética do espaço terrestre do que Cristóvão Colombo" (p. 79).

Essas explorações, iniciadas no século XV, teriam transformado a imagem que os homens tinham da Terra, pela dissipação progressiva dos temas lendários em benefício de uma consciência geográfica mais bem fundamentada. Ou como bem define o autor: "do 'sobrenatural', do maravilhamento, para a natureza geográfica" (p. 81).

Para Dardel a "geographie de plein vent":

> habituou os homens a observar as realidades do mundo circundante, a contemplar as cores de um céu tropical e a ouvir os silvos da tempestade. Incitou o homem a "sair", a deixar os salões e as ruas, para se arrojar além dos arrabaldes, para desenhar parques "à inglesa", para viver "ao ar livre" e, nesse "retorno à natureza", renovar sua sensibilidade, revigorar sua energia, para melhor compreender sua condição terrestre (p. 83).

De certa forma essa descoberta geográfica se opõe à geografia científica, pois se esta última é gestada no movimento das descobertas, seu fundamento é um empiricismo nascido das necessidades políticas e mercantis. Desse modo "uma 'política' geográfica consolidou a obra dos conquistadores e dos pioneiros" (p. 84).

Essa oposição entre a geografia moderna, de origem renascentista, quando o homem se volta para o mundo exterior medindo-o, analisando-o, procurando compreendê-lo geograficamente, se opõe à geografia vivida em ato, referente à ligação do homem com sua terra natal.

Essa oposição exigiria uma delimitação bastante precisa do espaço geográfico, em oposição ao espaço geométrico, desprovido de qualquer concretude existencialista. Segundo o autor: "A geometria opera sobre um espaço abstrato, vazio de todo o conteúdo, disponível para todas as combinações. O espaço geográfico tem um horizonte, um modelado, cor, densidade. Ele é sólido, líquido ou aéreo, largo ou estreito: ele limita e resiste" (p. 2).

O conhecimento geográfico teria como objeto decifrar os signos ocultos da Terra, aqueles em que, nas palavras do autor, "a Terra revela ao homem sobre a sua condição humana e seu destino". O resultado dessa relação do homem com a terra seria a "*geograficidade* (geographicité) do homem como modo de sua existência e de seu destino" (p. 2).

A geograficidade se refere a essa cumplicidade obrigatória entre a Terra e o homem em que se realiza a existência humana.

Ela se refere também a um espaço material, uma matéria da qual não podemos nos descartar. A especialização da matéria exige do homem um comportamento ativo onde a "distância" é um elemento essencial na estruturação do mundo. Ela em essência não é experimentada como quantidade, mas como qualidade expressa no "perto" e no "longe", no "lá" e no "aqui".

A partir dessa experiência fundamental Dardel extrai outras: "As direções foram então fixadas, elas também, por necessidades práticas. Ao mesmo tempo em que procura tornar as coisas próximas, o homem necessita de, por sua vez, *se dirigir*, para se reconhecer no mundo circundante, para *se encontrar*, para manter *reta* sua caminhada e para abreviar as distâncias" (p. 11).

Os marcos referenciais são o corpo e o suporte material em que ele se apoia: a casa, a cidade natal, o horizonte que lhe é familiar. Esse é o "espaço primitivo", espaço onde se desenvolve a existência e que obriga a procura de horizontes, a escolha de direções e de percursos a seguir.

A direção e a distância definem a "situação", que Dardel define como um sítio estável e inerte. A situação seria a definidora da geograficidade: "Do plano da geografia, a noção de situação extravasa para os domínios mais variados da experiência do mundo. A 'situação' de um homem supõe um 'espaço' onde ele 'se move'; um conjunto de relações e de trocas; direções e distâncias que fixam de algum modo o *lugar* de sua existência" (p. 14).

Dardel, como Bachelard, que aliás ele cita, opta por decompor esse espaço material em elementos que extrapolam os níveis de compreensão de uma ciência rigorosamente objetiva. Segundo ele o espaço pode ser decomposto em: telúrico, responsável pelas noções de espessura, solidez e plasticidade; aquático, que coloca o espaço em movimento e fixa os limites que o circundam; aéreo, elemento invisível porém presente, ao mesmo tempo permanente e mutante. O espaço construído também é considerado e, além dele, a paisagem. Esta, segundo Dardel, uma categoria espacial multifacetada, que deve ser considerada em seu conjunto "uma convergência, um momento vivido, uma ligação interna, uma 'impressão', que une todos os elementos" (p. 30). A Paisagem colocaria em questão a totalidade do ser humano, suas ligações existenciais com a terra, ou, como preferia o autor, sua geograficidade original.

Essas são a meu ver, de um modo muito resumido, as principais questões levantadas por Dardel e que continuam atuais e palpitantes quase cinquenta anos depois. Sua principal qualidade, acredito, é a de não se ocupar apenas em se deter no método fenomenológico, mas em se deter em questões ontológicas que se referem a uma ontologia da espacialidade, uma ontologia fenomenológica da espacialidade, ou melhor, da geograficidade, ou, de modo mais abrangente, uma nova ontologia da geografia.

Essa preocupação com a ontologia da espacialidade pode ser encontrada em trabalhos recentes, nos quais ela é discutida no contexto do pós-modernismo, como em Edward W. Soja, em sua obra *Geografias Pós-Modernas*, por exemplo; e em trabalhos mais antigos, que a discutem enquanto um aprofundamento crítico necessário para a geografia humanista, como em *Phenomenology, Science and Geography*, de John Pickles.

Não pretendo aprofundar-me aqui nas origens desses questionamentos, o que já fiz em outras ocasiões, como em *A Geografia Humanista: Sua Trajetória de 1950-1990*, e no meu artigo "A Geografia Humanista Anglo-Saxônica: De Suas Origens aos Anos 90", publicado na *Revista Brasileira de Geografia* , mas apenas ressaltar que o projeto científico da geografia nesse final de século, cada vez mais desvinculado do conhecimento positivista, tem propiciado essa procura por uma ontologia da espacialidade, porém o problema está apenas delineado.

Essa busca por uma ontologia para a ciência geográfica nos remete ao principal questionamento colocado pela filosofia contemporânea no que se refere aos pressupostos da ciência positivista, que além de pretender superar a metafísica a partir da lógica e da técnica, preconizava uma autonomia da ciência frente à filosofia. Dardel une a perfeição ciência e filosofia.

Uma das tarefas a que se propôs com a fenomenologia foi a de definir leis eidéticas que orientassem o conhecimento empírico, oferecendo, como alternativa à ciência positivista, a constituição de ciências eidéticas, ou ciência das essências, definidas por ontologias regionais.

Esse é um tema que ainda não foi suficientemente explorado pela geografia. Os geógrafos humanistas, apesar de suas críticas à ciência positivista, recorreram pouco ao apoio da fenomenologia referindo-se a ela, principalmente, enquanto método de pesquisa, o que levou a uma utilização parcial de seus procedimentos. Ao mesmo tempo, propostas de cunho epistemológico, apesar de problematizar as relações entre a geografia e o positivismo, não se referiram explicitamente a qualquer aporte teórico-conceitual para explicitar essas questões.

O problema central, pouco explicitado nessas críticas, é fundamentalmente ontológico, pois para a experiência empírica ter sentido deve fundamentar-se na experiência fenomenológica. Esse tema, apesar de todo o acirrado debate teórico que se travou na década de 1980, não ficou claro[6]. As ciências eidéticas constituem o fundamento das ciências empíricas[7]. Isso é reafirmado por Thomas R. Giles, segundo o qual "da definição de ciência, alcançada pela intuição originária, podemos tirar as conclusões metodológicas que orientarão a pesquisa empírica"[8].

Pelo menos duas questões se colocam quando nos deparamos com essas proposições: existem algumas ciências das essências que fundamentam as demais ciências?; todas as ciências empíricas possuem um fundamento essencial?

Acredito que ambas as questões procedem. Existe um determinado número de disciplinas que apesar de concebidas pelos positivistas são fundamentalmente eidéticas, enquanto outras estão por demais emaranhadas pelos ditames da experiência empírica, mas não podem prescindir de uma fundamentação essencial.

Na fenomenologia o processo eidético e o processo experimental não estão ligados por relacionamentos de sucessão. As essências só podem ser visadas a partir da experiência do fato, e o fato só pode ser tratado considerando-se a visão das essências. Há um relacionamento dialético entre os processos, ou melhor, holístico.

Um problema que se coloca é que ao utilizarmos o método fenomenológico não podemos nos prender, ao menos de modo restrito, às denominações que os positivistas deram para as diversas ciências. Isso porque essa classificação, de cunho cartesiano, baseia-se nos conceitos de quantidade e em uma metodologia

6 Cf. W. Holzer, *A Geografia Humanista...*; idem, A Geografia Humanista Anglo-Saxônica..., *Revista Brasileira de Geografia*.
7 Cf. A. Dartigues, *O que é a Fenomenologia*.
8 *História do Existencialismo e da Fenomenologia*, p. 153.

empírica de mensuração. Ao se propor uma ciência eidética, deve-se se referir à existência humana e à sua experiência do mundo (*Lebenswelt*), enquanto se constituem os conceitos.

Ao nos propormos essa tarefa – a da constituição de uma ciência das essências –, deparamo-nos com outro problema colocado pelos próprios fenomenólogos, que é o da divisão entre essências exatas – que têm uma relação indireta com a vivência e produzem construções – e as essências morfológicas – que exprimem todos os aspectos da vivência e têm como base a sua descrição[9].

O próprio Husserl apresentava a solução para esse problema: as essências exatas determinam uma ontologia formal, que gera ciências eidéticas formais, ligadas às categorias da lógica dedutiva e da lógica das significações (gramatical), referindo-se ao ato de pensar em geral, ou, como preferem alguns, "às formas puras de pensamento". As essências morfológicas determinam uma ontologia regional, que abarca o domínio do percebido, do imaginário, da natureza física, da consciência, das essências dos objetos materiais, culturais, sociais etc.[10].

Se procurarmos correlações ontológicas entre o pensamento fenomenológico e o pensamento positivista, poderemos dizer que as "ciências exatas", como a matemática e a física, estão ligadas à ontologia formal. Mas o que falar da química, da biologia, da linguística e de tantas outras? De outra parte, podemos afirmar que as "ciências humanas", ligadas à ontologia regional ou da natureza, são representadas pela história, pela psicologia e pela geografia – respectivamente tratam da temporalidade, da consciência e da espacialidade –, além de tantas outras.

No entanto, uma leitura mais acurada dos filósofos talvez nos desencoraje a falar em uma ontologia da espacialidade, como por exemplo: "Todo objeto natural tem por essência ser espacial, *e a geometria é a eidética do espaço*; porém ela não abarca toda a essência da coisa, daí o surgimento de novas disciplinas que estudam o mesmo objeto"[11].

Giles vai mais longe, distinguindo, hierarquicamente, a partir do empírico, as essências regionais (objeto cultural) da essência do

9 A. Dartigues, op. cit.
10 Cf. C. Capalbo, *Fenomenologia e Ciências Humanas: Uma Nova Dimensão em Antropologia, História e Psicanálise.*
11 T. R. Giles, op. cit., p. 154 (grifo meu).

objeto em geral ligado à ontologia formal, distinção hierárquica com a qual não posso concordar. O que se pode afirmar é que:

> O mundo da matemática ou mensurável, em que a figura foi construída, não é precisamente o mundo perceptivo. Importa por isso associar o meio perceptivo e o meio que Koffka denomina *geográfico*, como o que é dado imediatamente e o que é construído por mediação conceitual e instrumental. [...] não se trata precisamente, para nós ["cientistas humanos"], de partir do construído: importa, ao contrário, compreender o imediato a partir do qual a ciência elabora o seu sistema.[12]

Essas considerações indicam que uma ontologia regional da espacialidade humana, referida ao nosso mundo perceptivo, deve ser denominada *geografia* (um nome, aliás, muito mais antigo que o das ciências positivistas), enquanto uma ontologia formal dos objetos espaciais deve ser chamada de *geometria*.

Na verdade Dardel já havia colocado esse problema ao distinguir entre o espaço geométrico e o espaço geográfico. Pode-se afirmar que a geografia tem seu papel enquanto uma ciência das essências Uma ciência-limite, como a denominava Jaspers. A ciência formal do espaço, no entanto, seria a geometria, e a sua essência seria a espacialidade. A ciência regional do espaço seria a geografia, e a sua essência seria o que Dardel denominou de geograficidade (*geographicité*).

Desse modo, quando nos referimos à geografia enquanto ciência essencial, não seria a espacialidade o nosso objeto de estudo, mas a geograficidade. Já falei na geograficidade, cabe aqui citar textualmente a definição de Dardel: "uma geografia em ato, uma vontade intrépida de correr o mundo, de franquear os mares, de explorar os continentes. Conhecer o desconhecido, atingir o inacessível, a inquietude geográfica precede e sustenta a ciência objetiva. Amor ao solo natal ou busca por novos ambientes, uma relação concreta liga o homem à Terra, uma *geograficidade* (*geographicité*) do homem como modo de sua existência e de seu destino" (p. 1-2).

Cabe observar que a geograficidade, enquanto essência, define uma relação – a relação do ser-no-mundo. A palavra "espaço", em seu senso comum e de utilização diária pode

12 M. Merleau- Ponty, *Ciências do Homem e Fenomenologia*, p. 58.

ser definida segundo os parâmetros que encontramos nos dicionários, como sugeriram Yi-Fu Tuan em *Espaço e Lugar: A Perspectiva da Experiência* e Sylvie Cohen no artigo "Points de vue sur les paysages", publicado em *Hérodote*. Segundo o *Dicionário Aurélio*, ela significa: "1. Distância entre dois pontos, ou a área ou volume entre limites determinados. 2. Lugar mais ou menos bem delimitado, cuja área pode conter alguma coisa. 3. Extensão indefinida. 4. O universo. 5. Período ou intervalo de tempo". Todas essas definições nos remetem a um estudo cartesiano de mensuração, ou, num plano mais profundo, a uma fenomenologia das formas puras. A relação com a nossa vivência (*Lebenswelt*) cotidiana é, certamente, apenas indireta.

Não é a esse tipo de espaço, definido pelo seu uso cotidiano, que a geografia se refere. Seu campo de estudos, qualquer que seja o aporte teórico utilizado, se remete a um espaço adjetivado, o espaço geográfico, que já defini anteriormente, e essa qualificação do espaço implica na geograficidade do ser-no-mundo.

Mundo, para a fenomenologia, engloba muito mais coisas do que o suporte físico, ou do que um sistema de coisas que percebemos à nossa volta – o ambiente. Segundo Tuan, em seu texto "'Environmement' and 'World'", publicado em *Professional Geographer*, o mundo é um campo de relações estruturado a partir da polaridade entre eu e o outro, ele é o reino onde nossa história ocorre, onde encontramos as coisas, os outros e a nós mesmos, e é desse ponto de vista que o mundo deve ser apropriado pela geografia.

Nesse campo de relações o corpo representa a transição do "eu" para o "mundo", ele está do lado do sujeito e, ao mesmo tempo, envolvido no mundo. O corpo constitui o ponto de vista do ser-no-mundo. Ele coloca o homem como existência[13].

Dessa relação fundamental, que certamente é, também, geográfica, derivam todos os conceitos mais utilizados pela geografia, tais como "região", "território", "paisagem" e "lugar"[14]. Dardel soube como nenhum outro geógrafo explorar esse tema que está longe de ser esgotado.

13 Cf. W. A. M. Luijpen, *Introdução à Fenomenologia Existencial*; J.-F. Lyotard, *A Fenomenologia*.

14 W. Holzer, Uma Discussão Fenomenológica sobre os Conceitos de Paisagem, Lugar, Território e Meio Ambiente, *Território*; idem, *Um Estudo Fenomenológico da Paisagem e do Lugar: A Crônica dos Viajantes no Brasil do Século XVI*.

## REFERÊNCIAS BIBLIOGRÁFICAS

BESSE, Jean-Marc. Lire Dardel aujord'hui. *L'Espace Géographique*, n. 17, 1988.

CAPALBO, Creusa. *Fenomenologia e Ciências Humanas: Uma Nova Dimensão em Antropologia, História e Psicanálise*. Rio de Janeiro/São Paulo: J. Ozon, 1973.

COHEN, Sylvie. Points de vue sur les paysages. *Hérodote*, n. 44, 1987.

COPETA, Clara (org.). *Eric Dardel, L'Uomo e la Terra: natura Della realtá geografica*. Milano: Unicopli, 1986.

DARDEL, Eric. [1952]. *L'Homme et la terre: nature de la réalité geographique*. 2ed. Paris: CTHS, 1990.

_____. *L'Histoire, science du concret*. Paris: PUF, 1946.

_____. *Les Pêches maritimes*. Paris: PUF, 1946.

DARTIGUES, André. *O que é a Fenomenologia*. Rio de Janeiro: Eldorado, 1973.

GILES, Thomas R. *História do Existencialismo e da Fenomenologia*. São Paulo: EPU/Edusp, 1975, 2v.

HOLZER, Werther. *Um Estudo Fenomenológico da Paisagem e do Lugar: A Crônica dos Viajantes no Brasil do Século XVI*. Tese de doutorado em Ciências: Geografia Humana, Faculdade de Filosofia, Letras e Ciências Humanas, Universidade de São Paulo: São Paulo, 1998.

_____. Uma Discussão Fenomenológica sobre os Conceitos de Paisagem, Lugar, Território e Meio Ambiente. *Território*, Rio de Janeiro, n.3, 1997.

_____. A Geografia Humanista Anglo-Saxônica: De Suas Origens aos Anos 90. *Revista Brasileira de Geografia*, Rio de Janeiro, v. 55, n. 1-4, 1993.

_____. *A Geografia Humanista: Sua Trajetória de 1950-1990*. Dissertação de mestrado em Geografia, Universidade Federal do Rio de Janeiro: Rio de Janeiro, 1992.

LUIJPEN, Wilhelmus A. M. *Introdução à Fenomenologia Existencial*. São Paulo: Epu/Edusp, 1973.

LYOTARD, Jean-François. *A Fenomenologia*. Lisboa: Ed. 70, [s.d].

MERLEAU-PONTY, Maurice. *Ciências do Homem e Fenomenologia*. São Paulo: Saraiva, 1973

PICKLES, John. *Phenomenology, Science and Geography: Spatiality and the Human Sciences*. Cambridge: Cambridge University Press, 1985.

PINCHEMEL, John; ROBIC, M. C.; TISSIER, J. L. *Deux siècles de géographie française: choix de textes*. Paris: CTHS, 1984.

RELPH, Edward. *Place and Placelessness*. London: Pion, 1976.

_____. An Inquiry Into the Relations Between Phenomenology and Geography. *Canadian Geographer*, v. 14, n. 3, 1970.

SOJA, Edward W. *Geografias Pós-Modernas: A Reafirmação do Espaço na Teoria Social Crítica*. Rio de Janeiro: Jorge Zahar, 1993.

TUAN, Yi-Fu. *Espaço e lugar: A Perspectiva da Experiência*. Trad. Lívia de Oliveira. São Paulo: Difel, 1983.

_____. Thought and Landscape: The Eye and the Mind's Eye. In: MEINIG, D. W. (org.). *The Interpretation of Ordinary Landscapes*. New York: Oxford University Press, 1979.

_____. Space and Place: Humanistic Perspective. *Progress in Geography*, v. 65, n. 6, 1974.

_____. Geography, Phenomenology and the Study of Human Nature. *Canadian Geographer*, v. 15, n. 2, 1971.

_____. "Environmement" and "world". *Professional Geographer*, v. 17, n. 5, 1965.

# Biografia de Eric Dardel

*Philippie Pinchemel*

Eric Dardel nasceu em 21 de fevereiro de 1899 em Montargis. Seu pai, professor de alemão, era de origem suíça, sua mãe era de Estrasburgo, nascida Herrenschimidt. Dardel foi o terceiro de uma família de quatro filhos. Concluído o ensino médio em 1916, preparou-se para ingressar na Escola Normal Superior de Paris, no liceu Louis le Grand, participando das atividades da federação dos estudantes cristãos. Podendo ingressar em 1920, não se apresentou para as provas orais.

Seu percurso profissional foi o clássico dos anos de 1920. Ingressou como professor de história e geografia em 1925, lecionando sucessivamente nos liceus de Sens (1926-1928), Rouen (1928-1932) e Janson de Sailly, em Paris, de 1933 a 1945. Em 1945 Gustave Monod, então diretor do ensino secundário, criou com Eric Dardel o projeto piloto de um liceu em Mortmorency (era a época das escolas experimentais). Esse estabelecimento virá à luz graças a Dardel: podemos imaginar as resistências, a lentidão administrativa, que teve que superar até sua constituição oficial em liceu Jean-Jacques Rousseau, em 1959. Eric Dardel se tornou seu diretor. Numerosos são os testemunhos sobre a atmosfera excepcional que reinava no liceu. Eric Dardel aposentou-se em 1965, residindo na casa acolhedora de Mortmorency, na qual fora morar após o natal de 1937.

Em 1927 esposou uma das filhas do missionário e etnólogo Maurice Leenhardt: na casa havia sete crianças. Eric Dardel faleceu na noite de 19 de janeiro de 1967.

Paralelamente à sua carreira de professor ele fazia pesquisas. Seu primeiro artigo foi publicado em 1923, nos *Annales de Géographie*, consagrado a Boulogne, porto pesqueiro. Seu interesse pela pesca foi duradouro pois em 13 de dezembro de 1941, Eric Dardel defendeu sua tese de doutorado em letras, na Faculdade de Letras da Universidade de Paris. Sua tese principal versava sobre *A Pesca do Arenque na França; Estudo de História Econômica e Social*. Sua tese secundária foi consagrada à *Situação da Pesca Marítima na Costa Ocidental da França no Início do Século XVII* a partir das atas das sessões relativas à visita do inspetor de pesca Le Masson de Parc (1723-1732). Ambos os trabalhos se referiam tanto à história quanto à geografia.

A banca da tese, presidida por M. Renaudet, era composta por M. M. Labrousse, Herubel, Sorre e Schmidt. A menção de louvor, por unanimidade, coroou essa defesa. Em seguida, somente um volume da coleção *Que sais-je?* consagrado à pesca marítima é publicado em 1948, evocando esse domínio de interesse.

Dessa atividade universitária, Eric Dardel não obteve qualquer vantagem em sua carreira. O contexto da época, e a personalidade de Dardel, podem prover a explicação.

Além do ensino, esse especialista em pesca tinha outras curiosidades. Estava pessoalmente empenhado em outros campos de pesquisa, em outros meios intelectuais que esse da geografia. Outras filiações de pensamento.

Eric Dardel era um homem de fé, vivendo autenticamente seu protestantismo, um homem de muita cultura histórica e filosófica, possuidor de uma curiosidade permanente. Mas ele era também um filósofo e um humanista. Seus cunhados eram Henry Corbim, Jean Gastambide, Henry Hatzfeld e, no círculo de relações de seu sogro, encontrava-se Mircéa Eliade, Denis de Rougemont e Roland de Pury.

Eric Dardel foi apaixonado pela história das ideias por toda sua vida, aquela dos mitos, das relações entre a história e os mitos. Sobre esses temas, podemos imaginar a influência das ideias e das pesquisas de Maurice Leenhardt. Ele contribuiu para tornar conhecidos, na França, Soren Kierkegaard, Martin Heidegger e Karl Jaspers.

Os textos e autores utilizados e citados por Eric Dardel em *O Homem e a Terra* caracterizam bem os filósofos a que se refere, e as ideias e personalidades que orientaram suas reflexões (ver índice de nomes).

Seus únicos dois livros, desvinculados de suas pesquisas sobre a pesca, foram publicados em uma coleção de filosofia, a Nouvelle Encyclopédie Philosophique, fundada por Henri Delacroix e dirigida por Emile Bréhier. Em 1946 foi publicado *A História, Ciência do Concreto*, e, em 1952, *O Homem e a Terra: Natureza da Realidade Geográfica.*

Há algo de impressionante nessa dupla ambição. Mas compreenderemos, com a leitura desse livro, por que Eric Dardel julgava inseparável a reflexão sobre a historicidade e a geograficidade.

De 1923 a 1967 Eric Dardel não cessou de escrever artigos, de fazer análises, de produzir resenhas para periódicos. Os temas que o interessam são característicos (ver a bibliografia).

O aparecimento de *O Homem e a Terra* não suscitou qualquer reação na comunidade geográfica, isso é o mínimo que se pode dizer. Não houve qualquer resenha nos periódicos de geografia. O ano de 1952 foi também o da publicação do primeiro volume dos *Fundamentos da Geografia Humana*, de Max Sorre. Porém Eric Dardel e seu livro só serão citados nove anos depois, na obra de divulgação de Max Sorre *O Homem sobre a Terra*. Uma carta, datada de 12 de abril de 1952, do economista François Perroux, dá o tom do impacto da obra de Eric Dardel, ao menos o impacto sobre certos espíritos:

> Graças a vós adquiri uma noção da geografia para a qual não estava nem acostumado, nem preparado [...] Vossa obra nos ajuda a redescobrir as comunicações e as participações fundamentais que lançaram a geografia de velas desfraldadas para a aventura, e que sustentaram a pesquisa objetiva desses geógrafos científicos que não perderam o senso da poesia [...] Jamais, confesso, li uma história da geografia concebida como a descrição do despertar de uma consciência geográfica a partir das diferentes visões sob as quais aparece ao homem a feição da terra.

Contudo, nesses anos de 1950, a geografia é uma combinação da geografia clássica vivendo do que já havia produzidi, da geografia aplicada, e de uma geografia muito positivista que se apressa em acolher a geografia quantitativa muito mais que uma corrente fenomenológica.

A obra de Eric Dardel será descoberta depois, quando a geografia atravessa seu período quantitativista e seu engajamento na ação adota um outro olhar, aquele da fenomenologia, da percepção e da representação.

Os geógrafos anglo-saxões foram os primeiros a redescobrir *O Homem e a Terra*. Eric Dardel está presente nas obras deles a partir de 1975, sendo abundantemente citado.

## BIBLIOGRAFIA

### Teses

*La Pêche harenguière em France, des origines à nos jours: étude d'histoire économique et sociale*. Tese principal de doutorado, Paris, 1941, Imp. André Tournon et Cie.

*Etat des pêches maritimes sur les cotes occidentales de La France au début du* XVIII *siècle*, Tese complementar, Paris, 1941, Imp. André Tounon et Cie.

### Livros

*Les Pêches maritimes*. Paris: PUF, 1946. (Coleção Que sais-je?).

*L'Histoire, science du concret*. Paris: PUF, 1946. (Coleção Nouvelle Encyclopédie philosophique).

*L'Homme et la Terre*. Paris: PUF, 1952. (Coleção Nouvelle Encyclopédie philosophique).

*L'uomo e la terra: natura della realtá geográfica*. Tradução para o italiano de Clara Copeta. Milão: Unicopli, 1986.

*L'Homme et la Terre*. Paris: C.T.H.S., 1990. (Reedição).

*O Homem e a Terra: Natureza da Realidade Geográfica*. São Paulo: Perspectiva.

### Artigos

La Pêche maritime à Boulogne. *Annales de géographie*, Paris, t. XXXII, n. 175, 1923.

Le Port de Boulogne depuis La guerre. *Annales de géographie*, Paris, t. XXXVI, n. 199, 1927.

Magie, mythe et histoire. *Journal de psychologie normale et pathologique*, Paris, n. 2, 1950.
Le Mystique, d'après l'oeuvre ethnologique de Maurice Leenhardt. *Diogène*, Paris, n. 7, 1954.
L'Homme dans l'univers mytiquye d'aprèsent l'oeuvre de Maurice Leenhardt. *Revue d'histoire et de philosophie religieuses*, Strasbourg, n. 1, 1955.
L'Histoire et notre temps. *Diogène*, Paris, n. 21, 1958.
L'Esthétique comme mode d'existence de l'homme archïque. *Revue d'histoire et de philosophie religieuses*, Strasbourg, n. 3-4, 1965.

## Resenhas nos Periódicos

*Le Monde non chrétien* (revista fundada em 1947 por Maurice Leenhardt).
*Revue d'histoire et de philosophie religieuses* (Faculté de Théologie Protestante de l'Université de Strasbourg).
*History and Theory* (Wesleyan University, USA).

Este livro foi impresso na cidade de Cotia,
nas oficinas da Meta Brasil,
para a Editora Perspectiva.